MON FRÈRE EST UN LOUP-GAROU

MON FRÈRE EST UN LOUP-GAROU

CRIEZ AU LOUP !

Sienna Mercer

Traduit de l'anglais par
Patricia Guekjian

Remerciements spéciaux à Stephanie Burgis

Titre original anglais : My Brother the Werewolf: Cry Wolf!

Éditeur : François Doucet
Traduction : Patricia Guekjian
Révision linguistique : Nicolas Whiting
Correction d'épreuves : Nancy Coulombe, Catherine Vallée-Dumas
Montage de la couverture : Mathieu C. Dandurand
Illustration de la couverture : © Kevin Cross
Mise en pages : Mathieu C. Dandurand
ISBN papier : 978-2-89733-768-1
ISBN PDF numérique : 978-2-89733-769-8
ISBN ePub : 978-2-89733-770-4
Première impression : 2014
Dépôt légal : 2014
Bibliothèque et Archives nationales du Québec
Bibliothèque Nationale du Canada

Éditions AdA Inc.
1385, boul. Lionel-Boulet
Varennes, Québec, Canada, J3X 1P7
Téléphone : 450-929-0296
Télécopieur : 450-929-0220
www.ada-inc.com
info@ada-inc.com

Diffusion
Canada : Éditions AdA Inc.
France : D.G. Diffusion
Z.I. des Bogues
31750 Escalquens — France
Téléphone : 05.61.00.09.99
Suisse : Transat — 23.42.77.40
Belgique : D.G. Diffusion — 05.61.00.09.99

Imprimé au Canada

Participation de la SODEC.
Nous reconnaissons l'aide financière du gouvernement du Canada par l'entremise du Fonds du Livre du Canada (FLC) pour nos activités d'édition.
Gouvernement du Québec — Programme de crédit d'impôt pour l'édition de livres — Gestion SODEC.

Catalogage avant publication de Bibliothèque et Archives nationales du Québec et Bibliothèque et Archives Canada

Mercer, Sienna

[My brother the werewolf. Français]
Mon frère est un loup-garou
Traduction de : My brother the werewolf.
Sommaire : t. 1. Criez au loup! -- t. 2. Ah-loup l'amour!.
Pour les jeunes de 9 ans et plus.
ISBN 978-2-89733-768-1 (vol. 1)
ISBN 978-2-89733-771-1 (vol. 2)

I. Guekjian, Patricia. II. Mercer, Sienna. Cry wolf!. Français. III. Mercer, Sienna. Puppy love. Français. IV. Titre. V. Titre : My brother the werewolf. Français. VI. Titre : Criez au loup!. VII. Titre : Ah-loup l'amour!.

PS8626.E745M914 2014 jC813'.6 C2014-940602-9
PS9626.E745M914 2014

Pour Dave et Ben, avec amour

CHAPITRE 1

Le magnifique soleil d'été entrait par les fenêtres de la chambre de Daniel Packer, mais aller dehors était bien la dernière chose qu'il voulait faire.

— Seulement pour toi, mon jumeau.

Il soupira et déposa délicatement sa guitare électrique sur le lit.

— J'te donne une demi-heure, mais après, je dois revenir à ma composition.

— Génial !

Justin, qui lançait son ballon de football d'une main à l'autre, courut jusqu'aux escaliers et sauta les cinq dernières marches.

— J'espère juste que tu ne te sentiras pas trop mal quand je te montrerai comment on fait ça, d'accord ? blagua-t-il.

Il ouvrit la porte et sortit en courant.

— Tu es peut-être le roi de la guitare, continua-t-il, mais lorsqu'il s'agit de football, *je* suis le maître !

Daniel le suivit jusqu'à la cour avant et ne put s'empêcher de rire en regardant son jumeau faire un touché imaginaire sur le gazon pour ensuite exécuter une danse de la victoire extravagante.

— Garde ça pour tes admirateurs, mon gars.

Justin fit un large sourire et pointa le fond du terrain avec le ballon de football.

— Va là-bas, OK ? On va faire des exercices...

Justin aurait pu parler à Daniel en chinois, et ça n'aurait fait aucune différence.

— ...des *burger drill*... des *one on one*...

T'as vraiment pas le bon gars, je sais à peine ce que tu veux dire par exercice ! se dit Daniel.

Cependant, il ne dit pas un mot. Il était assez intelligent pour savoir qu'il ne fallait pas interrompre Justin lorsque ce dernier entrait dans sa bulle.

Même si son jumeau était un beau parleur, Daniel avait remarqué que la nervosité de Justin avait augmenté au cours des derniers jours. Il était super stressé par les essais qui allaient se dérouler le lendemain. Donc, Daniel allait ignorer le fait qu'il se foutait totalement du football ; son jumeau avait besoin d'aide, et il allait le soutenir.

Il attrapa une passe de Justin et était sur le point de lui renvoyer le ballon lorsqu'il vit une grande fille BCBG familière déambuler la rue avec *beaucoup* de planchettes à pince dans les bras.

— Hé ! Regarde, dit-il en baissant le bras. C'est Riley.

— Où ? s'exclama Justin en se retournant brusquement.

Daniel s'empêcha de sourire.

— Ne capote pas, dit-il. Je parie qu'elle t'inscrira à seulement cinq ou six comités différents, cette fois-ci !

Justin marmonna quelque chose à voix basse, mais Daniel ne put comprendre ce qu'il disait. Il avançait déjà vers elle.

— Hé, Riley !

— Daniel !

Riley lui envoya la main de façon si enthousiaste qu'elle laissa tomber ses planchettes.

— Oups !

Elle se pencha pour les ramasser, et quatre stylos gel tombèrent de la poche de sa chemise pour s'éparpiller au sol.

Daniel s'empêcha de rire en la regardant ramasser toutes les choses qu'elle avait laissé tomber. Elle faillit s'emmêler dans ses propres jambes. Riley avait grandi d'au moins quinze centimètres au cours de la dernière année, et maintenant, elle était comme un chiot malhabile avec des pattes trop grosses.

Lorsqu'elle se redressa, elle semblait aussi composée que d'habitude, avec sa chemise et sa jupe à carreaux parfaitement repassées, ainsi que son bandeau noir qui retenait ses cheveux blonds.

– Qu'est-ce que tu fais avec un ballon de football, Daniel Packer ? demanda-t-elle. C'est plus le domaine de Justin, non ?

– Ouais, eh bien…

Daniel se retourna pour accuser Justin du doigt, mais la cour était vide.

Mais où est-il passé ?

Est-ce que Justin se cachait de Riley ?

– Bizarre…

Daniel décida de changer de stratégie.

— Et toi ? L'école n'a pas encore commencé et tu as déjà, quoi, environ quinze planchettes à pince ?

Riley leva les yeux au ciel.

— Je n'en ai que six.

Daniel lui fit un large sourire en secouant la tête.

— Honnêtement, Riley, c'est de l'organisation extrême, même pour toi !

— L'école commence *demain*, Daniel. Il ne reste pas beaucoup de temps !

Riley agita sa pile de planchettes vers lui.

— Je suis censée être la présidente de trois clubs, mais je n'ai presque aucune inscription !

Il la fixa du regard.

— C'est parce que c'est encore *l'é-té*. Tu te souviens ? C'est la période où on n'a pas à penser à l'école.

— Et bien, il est temps que ça change, déclara Riley. En commençant par toi ! Voyons... tu étais dans la chorale, l'an dernier ; est-ce que tu t'inscris à nouveau ?

Elle lui tendit la planchette du dessus avec un regard rempli d'espoir.

Daniel éloigna la planchette d'un geste délicat de la main.

— Je suis désolé. Cette année, je vais me concentrer sur ma propre musique.

Riley fronça les sourcils.

— Ta propre musique ?

— Mon groupe, Dans la bergerie, dit-il, ses pensées se déplaçant déjà vers sa chambre, où sa guitare l'attendait.

— Ça va être génial… Et ce sera encore mieux quand nous aurons un chanteur. Je fais auditionner des candidats demain !

— Vraiment ?

La voix de Riley était soudainement différente, presque aiguë.

Mais avant que Daniel puisse lui demander ce qu'elle avait, un gros camion de déménagement arriva sur la rue, son moteur faisant tant de bruit qu'il était impossible de penser à quoi que ce soit. Il se gara dans l'entrée de la maison devant la sienne.

Enfin, de nouveaux voisins !

La porte du camion s'ouvrit. Une fille qui devait avoir leur âge en sortit, et Daniel eut le souffle coupé. Il croyait avoir entendu Riley poser une quelconque question à propos des auditions pour son groupe, mais toute son attention était concentrée sur la nouvelle fille.

Elle portait une camisole d'un bleu éclatant et des shorts rose pâle, et ses longs cheveux roux bouclés reluisaient au soleil. Elle se retourna, vit Daniel et lui envoya la main.

Daniel était incapable de penser. Son sourire était… éblouissant. Il savait qu'il devait répondre d'une quelconque manière, comme lui envoyer la main à son tour, mais il était incapable de faire quoi que ce soit d'autre que de rester debout là en la fixant bêtement.

Et il n'avait probablement pas l'air trop cool non plus.

— Daniel ? le relança Riley. Les auditions ? Pour ton groupe ? Oublie ça. Je dois aller faire du recrutement !

Elle agita ses planchettes et traversa la rue. Le talon épais de sa chaussure se coinça dans une fissure dans l'asphalte, et elle faillit trébucher mais, cette fois-ci, elle réussit à se redresser sans échapper quoi que ce soit.

— Salut ! dit-elle à la fille. Vas-tu aller à l'école secondaire Pine Wood ? Aimerais-tu t'inscrire à l'un de mes clubs sociaux ?

Daniel sourit.

Riley pourrait sans problème donner des cours de détermination !

Il était toujours en train de la regarder se présenter à la nouvelle fille lorsqu'il se fit arracher le ballon de football des mains. Justin était revenu.

– Hé !

Daniel se retourna vers son jumeau.

– Où étais-tu passé ? Je croyais que tu voulais désespérément t'entraîner !

– Ouais, eh bien...

Justin haussa les épaules et lança le ballon dans les airs. Il jeta un regard rapide de l'autre côté de la rue, où Riley et la nouvelle fille parlaient toujours.

– Je devais vérifier... quelque chose.

– Quoi ? demanda Daniel.

Mais si Justin avait répondu, Daniel ne l'entendit pas. Le son du rire de la nouvelle fille attira son regard de l'autre côté de la rue. Il était éclatant, *mélodieux*...

Justin lui donna un coup de coude aux côtes.

– Donc, il y a une fille dans la nouvelle famille, hein ?

– Je ne la fixais pas ! s'exclama Daniel.

Puis il grimaça lorsqu'il entendit son frère s'esclaffer. Daniel sentit son visage rougir et s'efforça de détourner le regard.

— J'espérais, euh, je me demandais si elle allait aller à notre école.

— Ah oui ? Eh bien, j'espère qu'elle n'est pas comme la dernière fille qui habitait là.

Les deux frissonnèrent. Mackenzie Barton avait habité sur leur rue pendant des années et avait été la reine de leur école pendant encore plus longtemps. Daniel et Justin avaient fait la fête lors du déménagement de la famille Barton.

— Personne ne pourrait être aussi hautain que Mackenzie, dit Daniel.

Son regard se déplaça à nouveau de l'autre côté de la rue, et il termina sa phrase silencieusement :

Surtout pas avec un sourire comme ça !

— Hé, les gars.

La porte de leur maison s'ouvrit, et leur père sortit, toujours vêtu des shorts de course qu'il portait lors de son jogging matinal.

— Comment vont les exercices ?

Leur mère le suivait, vêtue d'une robe d'été flottante. Elle leva une main pour se protéger les yeux du soleil et regarda de l'autre côté de la rue.

— De nouveaux voisins ?

— Cette fille semble avoir votre âge, dit leur père, puis il déposa une main sur l'épaule de Justin. Elle ne parle pas à ton amie Riley, là ? Vous devriez aller vous présenter et lui souhaiter la bienvenue au quartier.

— D'accord ! dit Daniel en s'avançant.

— Attends !

Justin lui attrapa le bras avec un air de panique.

— Pas tout de suite…

Il lança un regard rapide à Riley et la nouvelle fille qui riaient ensemble de l'autre côté de la rue pendant que deux adultes donnaient des instructions pour les meubles qui se trouvaient sur leur pelouse.

— Justin a raison, dit leur mère. Je crois qu'ils sont déjà assez occupés. On pourra les inviter à un barbecue dans quelques jours, lorsqu'ils seront installés.

— Ouais, dit Justin en hochant la tête. Je dis comme maman.

Sa mère se tourna vers Daniel, et il dut s'esquiver rapidement pour éviter de se faire ébouriffer les cheveux.

— Je t'ai entendu jouer de la guitare dans ta chambre, lui dit-elle. Ton style de composition progresse vraiment bien.

— Merci, maman, dit-il.

Il haussa les sourcils et ajouta :

— Ça irait encore mieux avec une nouvelle guitare.

Sa mère lui fit un sourire complice et entra dans la maison.

Daniel se retourna vers son père, déterminé à faire valoir son point de vue.

— Dis-moi, Papa, où es-tu allé ce matin avant ton jogging ? demanda-t-il fermement. Maman a dit que tu avais quelque chose d'*important* à faire, mais elle n'a pas voulu nous dire quoi.

Papa saisit le ballon de football des mains de Justin et lui fit faire des vrilles parfaites.

— Oh, j'étais occupé à, euh, planifier quelque chose.

— *Quelque chose ?*

Daniel tapota ses doigts les uns contre les autres.

— Est-ce que ce quelque chose... concernerait notre fête demain ?

— Peut-être, dit leur père.

Il partagea un regard rapide avec Justin.

— N'en parlons pas tout de suite, d'accord ? Vite, attrape !

Il lança le ballon de football en vrille serrée parfaite de l'autre côté de la cour, et Justin se précipita pour l'attraper.

— Eh bien, dit Daniel en écarquillant les yeux.

Ses parents n'étaient sûrement pas passés à côté des milliers d'indices qu'il leur avait donnés à propos de la guitare qu'il avait vue au magasin d'instruments en ville, n'est-ce pas ? Daniel avala difficilement. Le simple fait de penser à cette guitare et à sa forme en *v* élancée d'un rouge éclatant lui donnait le goût de gratter les cordes.

— Allez, papa, dit-il. Tu pourrais au moins me donner un indice ! Est-ce que...

— Tout va bien ! dit son père. Mais, euh, je dois m'occuper de... *certaines choses.*

Daniel se retourna vers Justin alors que leur père disparaissait dans la maison.

— Est-ce que tu sais...

— Nous gaspillons du temps d'entraînement, l'interrompit Justin en poussant le ballon de football dans ses bras. Viens ! On va tenter des passes, OK ?

Daniel attendit que Justin soit complètement au bout de la pelouse et lui lança le ballon aussi fort que possible.

— Wô !

Justin sauta pour l'attraper, puis il regarda fixement Daniel en secouant la main que le ballon avait frappée.

— C'était… impressionnant. Es-tu sûr que ce sont des leçons de musique que tu prends ?

— Même si je ne suis pas un sportif, ça ne veut pas dire que je ne sais pas lancer un ballon, rétorqua Daniel.

Des cris de joie se firent entendre de l'autre côté de la rue. Riley et la nouvelle fille sautaient dans les airs avec excitation.

On dirait que Riley a une nouvelle recrue !

Puis Daniel s'aperçut qu'il avait trouvé la phrase parfaite pour amorcer la conversation. Il n'avait qu'à dire nonchalamment : « Méfie-toi de Riley. Elle va t'inscrire à… »

— Aaaah !

Daniel cria lorsqu'une douleur intense explosa dans sa poitrine. Il chancela vers l'arrière en tentant d'attraper le ballon que Justin avait sûrement lancé pendant que Daniel regardait — sans la *fixer* — la nouvelle fille.

Ses doigts glissèrent. Il frappa le ballon dans les airs, essayant de le garder dans ses mains… et ses pieds glissèrent, le faisant tomber à la renverse sur le gazon avec un bruit sourd.

Il entendit des rires de l'autre côté de la rue. Il grimaça et ferma les yeux.

Très cool, Daniel ! se dit-il.

Tout d'un coup, il entendit des pas et ouvrit les yeux.

– Je vais bien, croassa-t-il.

Il saisit le ballon et se releva.

Il ne faut pas qu'elles pensent qu'un stupide ballon m'a fait mal… même si j'ai de la difficulté à respirer !

Au moins, Justin n'avait pas disparu, cette fois-ci ! Il traversa le gazon pour se mettre à côté de Daniel alors que Riley menait la nouvelle fille vers eux.

– Je vous présente Debi, annonça Riley. Elle vient de déménager d'une petite ville appelée Franklin Grove. Elle est dans la même année que nous ! C'est génial, non ?

Daniel luttait tellement fort pour respirer normalement qu'il ne put répondre ; il se contenta de sourire et de lever la main pour la saluer. Puis, il la baissa en se disant que ce n'était probablement pas cool d'envoyer la main à quelqu'un qui était à moins de deux mètres de lui !

— Salut, marmonna Justin.

Sa voix avait la même faiblesse que celle que Daniel ressentait.

Vas-y, Justin ! supplia silencieusement Daniel. *Fais la conversation !*

— Bref ! dit Riley en haussant un sourcil. Je dois y aller. Tant de clubs et si peu de temps.

— C'est sûr.

Justin semblait respirer plus facilement, tout d'un coup.

— Content de t'avoir vue, Riley.

Puis, il grimaça comme s'il avait dit quelque chose de gênant.

Au moins, il a dit quelque chose, ce qui est pas mal mieux que moi, se dit Daniel.

Alors que Riley s'éloignait, Debi sourit à Justin.

— T'es pas mal bon au football.

— Merci ! répondit Justin en souriant et en prenant le ballon des bras de Daniel.

— As-tu vu plusieurs parties ?

Elle rit.

— J'étais meneuse de claque à mon ancienne école, donc oui, des tonnes. Je vous ai regardés vous entraîner, et tu es quand même bon pour un gars de...

Elle s'arrêta et retroussa son nez de manière adorablement confuse.

— Quel âge as-tu ?

— Douze ans. Enfin, douze ans pendant encore une journée, dit Justin.

— C'est ça, dit une voix derrière eux.

Monsieur Packer avait sorti sa tête par la fenêtre du salon et rayonnait de fierté.

— C'est un grand jour pour Justin, demain. Oh, et pour Daniel aussi.

Daniel secoua la tête.

Pourquoi Papa agit-il de façon si bizarre ? C'est ma fête aussi ! Si ça ne l'était pas, Justin et moi ne serions pas jumeaux.

— Eh bien, demain est une journée cool pour avoir une fête, dit Debi. C'est la pleine lune ce soir, et...

— Je sais !

Leur père sourit de toutes ses dents, puis il se mit à rire.

Et il rit.

Et il rit encore.

Daniel était rouge de gêne.

J'espère qu'il ne commencera pas à raconter son anecdote préférée...

— Vous savez... commença leur père.

Trop tard, se dit Daniel.

— Historiquement parlant, la pleine lune et les cycles lunaires en général avaient une grande signification dans chacune des cultures...

Daniel baissa les épaules et il fit la sourde oreille à l'histoire qu'il avait déjà entendue des milliers de fois : tout sur la lune et sur la façon dont elle « croît ».

Ça veut dire quoi, exactement ?

Bla, bla, bla, et la marée de morte-eau... bla, bla, bla, éclipse lunaire...

Debi souriait en écoutant, sa tête penchée attentivement. Daniel se sentait encore pire.

C'est gentil de sa part de faire semblant d'être intéressée, mais une famille cinglée, ça ne fera pas bonne impression.

Mais comme il s'était déjà fait agresser par un ballon de football et qu'ensuite, il était resté muet pendant qu'elle essayait de faire la conversation, il était probablement déjà trop tard pour faire bonne impression...

Une impression à moitié mauvaise serait le mieux qu'il pourrait faire au point où il était rendu — tant que ce n'était pas l'impression d'un parfait idiot.

Enfin, la torture prit fin lorsque leur père se retourna pour aller à l'intérieur.

— Viens avec moi, Justin, s'il te plaît.

— Ah, papa, gémit Justin.

— Tu pourras t'entraîner plus tard, dit leur père. J'ai besoin de te parler tout de suite.

Justin soupira et rentra dans la maison. Daniel sentit un brin de sympathie pour son frère.

Pauvre Justin. Il n'aura jamais sa chance de s'entraîner.

Puis il se rendit compte qu'il y avait un problème plus important.

Une minute ! Ils ne peuvent pas me laisser seul avec Debi !

Il ne pouvait s'échapper. Papa avait mis son bras autour de Justin et l'escortait à l'intérieur. Il ne restait qu'une chose à faire : Daniel se retourna lentement vers Debi.

Réveille-toi, cerveau ! Aide-moi ! Je dois avoir quelque chose de cool à lui dire !

Debi le regardait d'un air intéressé, mais ça n'avait pour effet que de chasser toute pensée du cerveau de Daniel. C'était comme s'il perdait toute notion de langage, un mot à la fois.

Au moins, cette fois-ci, je ne pourrai tomber sur les fesses devant elle… du moins, je l'espère.

Justin était affalé dans son siège et couvrait à moitié ses yeux.

Papa est en train de disjoncter.

Son père, habituellement calme et posé, faisait les cent pas dans son bureau. On le voyait presque vibrer.

— Je suis si excité… si fier de toi… si…

Il passa sa main dans ses cheveux jusqu'à ce qu'ils soient hérissés comme le poil d'un berger allemand excité.

— Calme-toi, papa, marmonna Justin.

— Calme-toi ?

Son père laissa échapper un petit rire sec. Il alluma la chaîne stéréo avec un doigt tremblant. Quelques secondes plus tard, le son de violons remplit l'air. Justin reconnut l'orchestre de sa mère qui jouait le morceau préféré de son père, *Le chant à la lune*. La famille avait été obligée de l'écouter souvent ces derniers temps.

Un instant plus tard, son père alluma les grosses chandelles à l'odeur de pin qu'il gardait sur sa bibliothèque.

— C'est plus fort que moi, dit-il. Je suis si nerveux pour ce soir que je pourrais me transformer ici, sur-le-champ !

— Ne fais pas ça !

Justin se redressa brusquement.

— Ce soir n'est pas si important, papa, d'accord ? Ma première transformation pourrait même ne pas se produire. Le règlement dit : la première pleine lune de la treizième année, n'est-ce pas ? La pleine lune de ce soir pourrait ne pas compter, parce qu'elle commence avant ma fête.

— C'est que j'ai comme une prémonition…

Justin bondit de sa chaise, trop agité pour tenir en place. Son papa était en train de le rendre fou.

— Je ne sais pas, papa, dit Justin en commençant à faire les cent pas à son tour. J'ai lu les livres que tu m'as donnés. Lorsqu'un enfant est moitié humain et moitié loup-garou, il n'y a que cinquante pour cent de chances que la transformation se fasse. Je pourrais ne jamais me transformer.

Son père haussa un sourcil d'un air amusé.

— Je connais les statistiques.

Il s'assit dans le grand fauteuil derrière son bureau et lissa ses cheveux ébouriffés.

— Fais-moi confiance, Justin. Tu l'as dans le sang.

Il énuméra ses arguments sur ses doigts en expliquant.

— Tu es sportif, tu réagis rapidement... *et* ton treizième anniversaire arrive à la pleine lune !

Il secoua la tête et fit un grand sourire.

— J'ai un bon pressentiment... Ça va sans aucun doute se passer ce soir !

— Génial, marmonna Justin.

Il y avait un objet en argile émaillée entre les deux chandelles posées sur la bibliothèque. C'était l'empreinte d'une patte de loup. Justin la regarda et avala durement.

— Et Daniel ?

Il se retourna vers son père.

— Quand allons-nous lui dire la vérité ?

— Daniel...

Pour la première fois, son père sembla perdre son enthousiasme.

— Eh bien, ta maman et moi ne sommes pas sûrs que nous devrions le dire à Daniel.

— Qu'est-ce que tu me dis là ?

Justin le fixa.

— Il va le découvrir quand je commencerai à me transformer…

— Pas si tu ne le lui dis pas, lui dit son père d'un ton catégorique. Tu dois bien y penser, Justin. Lorsqu'un loup-garou et un être humain ont des jumeaux, seul l'un d'eux peut devenir un loup. Comment se sentira Daniel s'il apprend qu'il y a un merveilleux monde secret dont il ne fera jamais partie ?

— Euh…

Justin se laissa retomber sur la chaise à côté du bureau de son père.

— J'imagine que…

Mais c'est le seul secret que j'aie jamais caché à Daniel, se dit-il.

Tout d'un coup, il n'était plus si excité par sa transformation en loup-garou.

Daniel aurait donné n'importe quoi pour ravoir son jumeau à ses côtés dans la cour. Justin était peut-être parti depuis seulement quelques secondes, mais Daniel se sentait comme si ça faisait des heures que lui ou Debi n'avaient pas prononcé un seul mot.

Je ne peux pas croire que Papa et Justin m'aient tous deux abandonné alors que j'ai besoin d'eux.

Debi lui fit un grand sourire

Dis quelque chose d'intelligent, idiot ! se dit Daniel en essayant de se rappeler comment respirer.

Malheureusement, la seule chose qui lui venait à l'esprit était le fait qu'il n'avait rien à dire. Ce n'était pas vraiment la meilleure chose pour commencer une conversation !

Debi baissa les yeux vers le gazon, et Daniel s'aperçut qu'il tapait nerveusement du pied. Il se força à rester immobile, et elle se racla la gorge en levant les yeux vers lui.

N'essaie même pas d'avoir l'air intelligent, dis n'importe quoi !

— Euh, dit Daniel en grimaçant.

Je ne peux pas arrêter maintenant…

— Désolé, marmonna-t-il. Tu sais, pour mon père et ses histoires ennuyantes de lune, et tout ça…

Debi secoua la tête.

— Non, ça va. En fait, l'astronomie me fascine.

— Oh…

Sans le vouloir, je viens de dire qu'elle est ennuyeuse !

— Moi aussi ! rétorqua-t-il. L'astronomie ne fait pas que me fasciner ; elle m'émerveille !

Debi sourit poliment. Daniel lui retourna son sourire et tenta de ne pas avoir l'air mal à l'aise. Malheureusement, il ne savait pas comment réussir à faire ça, surtout parce qu'il ne faisait que penser à l'air stupide qu'il devait avoir.

Des oiseaux gazouillaient un peu plus loin.

Debi rompit le silence juste avant que Daniel abandonne et se sauve en courant.

— Donc, vous êtes des jumeaux identiques ?

Daniel laissa retomber ses épaules. Il n'avait aucune difficulté à parler de jumeaux.

— Oui, eh bien, nous sommes identiques en apparence, mais en fait, Justin va avoir treize ans à une heure sept du matin, alors que ce sera à une heure une dans mon cas. Donc, je suis son grand frère.

Debi rit, et Daniel sentit son cerveau devenir tout mou.

Il ne faut pas que je gâche ça maintenant ! Je suis bien parti !

— Mais sans blague, dit-il, nous avons toujours été proches, même si nous sommes pas mal différents. Justin aime les sports, comme tu as sûrement remarqué, et moi, j'ai mon groupe de musique. On s'appelle *Dans la bergerie.*

Debi pencha la tête avec une expression pensive.

— Il y avait des jumelles identiques à mon ancienne école, à Franklin Grove. Même si elles sont des filles, elles me font penser à vous deux : totalement différentes, mais cool toutes les deux.

Daniel était bouche bée.

— Vraiment ? lança-t-il avant de grimacer.

Pourquoi j'ai dit ça ? Les personnes cool ne sont pas surprises de se faire dire qu'elles sont cool ! Ça ne fait pas cool !

— Oh, oh, dit Debi en montrant du doigt la maison de l'autre côté de la rue, d'où ses parents lui envoyaient la main. On dirait que je n'aurai pas le choix de les aider à défaire les boîtes.

Elle commença à traverser la cour et jeta un regard par-dessus son épaule. Ses yeux bleus scintillaient au soleil.

— On s'voit à l'école demain, Daniel.

— Ouais, dit Daniel. Demain.

Les longues boucles rousses de Debi rebondirent alors qu'elle traversait la rue, et Daniel dut se forcer à garder la bouche fermée.

Tout d'un coup, il avait super hâte au début des classes.

CHAPITRE 2

Le réveille-matin sur la table de nuit de Justin indiquait qu'il était minuit cinquante-huit, mais il était incapable de dormir. Dans neuf petites minutes, il serait une heure sept, et après toutes ces années d'attente, le moment d'accomplir la destinée de sa famille serait enfin arrivé, et il deviendrait un…

— Aaaah !

Son père avait ouvert la porte de sa chambre et glissé sa tête à l'intérieur.

— Es-tu prêt, fiston ?

Non ! se dit Justin.

Mais en même temps, il avait la chair de poule tellement il était excité. Ça allait enfin se passer.

Incapable de parler, il fit signe que oui et suivit son père hors de la chambre.

Alors qu'ils se faufilaient en bas sur la pointe de pieds, Justin essuya ses mains moites sur son pantalon de pyjama.

— Euh, papa ?

Il dut se racler la gorge avant de continuer.

— Ça va me donner quelle… sensation ?

— Eh bien… dit son père.

Il mit une main sur l'épaule de Justin en guise de réconfort alors qu'ils traversaient les portes-fenêtres de la cuisine.

— Au début, tu vas avoir une sensation de démangeaison. Ça pourrait être un peu inconfortable pendant un petit moment. Puis tes dents vont élancer, exactement comme quand on mange trop de sucre.

Son père ouvrit les portes et sortit dans la nuit.

— D'accord.

Justin passa sa langue derrière ses dents.

Rien de trop dramatique, donc.

Dehors, sur la terrasse, Justin leva le regard vers le ciel nocturne. Les nuages avaient caché la pleine lune, et la cour était remplie d'ombres. Un hibou hulula à proximité, et Justin sursauta de nervosité.

— Et c'est là que tout devient splendide ! dit son père.

Il sourit et secoua amicalement l'épaule de Justin.

— Tes griffes vont pousser, et ton odorat et ton ouïe seront rehaussés comme jamais auparavant. C'est tout à fait incroyable. Puis tes cheveux vont pousser, et…

Son père devint muet lorsque les nuages se séparèrent. La lumière de la pleine lune illuminait la cour d'une lueur argentée.

Justin n'avait pas besoin d'un réveille-matin pour savoir quelle heure il était.

Une heure sept. C'est l'heure de jouer.

Il se raidit.

Je peux le faire. J'ai attendu ça toute ma vie.

La lumière du clair de lune dansait sur ses bras, et sa peau semblait rayonner.

Est-ce que je sens une démangeaison sur mon épaule ?

Justin avala difficilement et sentit les nerfs de ses bras se contracter.

Ouais, c'est assurément une…

Il roula son épaule. Elle était comme d'habitude.

Donc, ça n'avait pas encore commencé.

D'accord, peut-être ma jambe, alors !

Il changea de position avec espoir, puis s'aperçut que la démangeaison qu'il avait sentie n'était que le chatouillement d'un pissenlit contre sa cheville.

Justin prit un air renfrogné.

Est-ce que ça va finir par arriver ? C'est long !

La lune illuminait encore sa peau, mais la transformation se ferait peut-être lorsqu'il n'y penserait plus. Justin ferma les yeux et força ses muscles à se détendre.

Ça va. Je suis juste dehors… dans le noir… en pyjama… tout comme n'importe quel autre garçon de treize ans. Je ne m'attends vraiment à rieeeeeeen en ce moment…

Il sentit une ombre sur ses yeux fermés. Il les ouvrit et vit que ce n'était que des nuages qui avaient caché la lune à nouveau.

— Mmm.

Il se retourna lentement à contrecœur.

— Papa ?

Justin regarda dans le noir et put à peine apercevoir le visage de son papa. Il semblait chargé d'espoir.

— Fiston ?

Justin déglutit avec peine.

— Je ne me sens pas différent, admit-il.

Je suis encore complètement humain. Ça veut dire…

Son estomac se noua, et il fut incapable de regarder son père dans les yeux.

— Je suis désolé, marmonna-t-il.

Il y eut un moment de silence horrible, puis…

— Ne sois pas ridicule.

Son père lui donna une robuste et presque douloureuse tape d'encouragement sur l'épaule.

— *Je* devrais m'excuser de nous avoir excités comme ça en pensant que ça se passerait ce soir.

Il entoura les épaules de Justin de son bras et commença à le diriger vers la maison.

— C'est de ma faute. Tu avais raison ; ça va sûrement se passer lors de la prochaine pleine lune.

Il commença à ébouriffer les cheveux de Justin, puis s'arrêta pour examiner leur longueur.

Justin se déplaça brusquement.

— Je te l'ai dit ; ils ne poussent pas !

— Bien sûr que non. C'est normal. Nous avons tout le temps du monde.

Alors que son père ouvrait la porte de la maison, il baissa la voix pour chuchoter :

— Je suis désolé, fiston. C'est juste que je suis très excité à l'idée que tu poursuives notre magnifique tradition de loups-garous… plus tard dans le mois.

— Plus tard dans le mois, répéta Justin.

Maintenant que l'excitation s'était évaporée, son corps était lourd de fatigue. Il ne voulait qu'aller se coucher et oublier que tout ça c'était passé.

— J'ai très hâte de partager tout ça avec toi. Aussitôt que…

Son père s'arrêta à moitié entré dans la maison, fronça les sourcils et pencha la tête.

— As-tu entendu quelque chose ?

— Non, dit Justin en secouant la tête alors qu'il montait péniblement à sa chambre. Je n'ai pas une super ouïe comme toi. Pas encore.

— D'accord.

Son père soupira et le suivit.

— C'était probablement l'un des autres loups en ville qui hurlait à la pleine lune.

Justin se figea sur la dernière marche.

Les autres loups en ville... Ah non !

Les essais de football !

L'entraîneur Johnston était un loup-garou. *Et* il avait inscrit les garçons avec une descendance de loup pour jouer à l'attaque. Papa avait été si certain que Justin allait se transformer en loup d'ici demain que Justin avait promis à l'entraîneur Johnston qu'il allait se transformer à temps pour les essais de début d'année.

Mais s'il n'avait pas la rapidité et l'agilité d'un loup-garou...

Justin avait envie de lever la tête et de hurler sa frustration à la lune, mais il n'était pas un loup, et sa gorge n'en était pas capable.

Ça va être un désastre.

Daniel était incapable de se mettre à l'aise dans son lit. Il se dit qu'il devait être environ une heure, mais il n'avait pas encore réussi à s'endormir. Une mélodie tournait sans cesse dans sa tête, et il était incapable de l'ignorer.

J'abandonne.

Il sortit du lit.

Si je l'écris, je pourrai peut-être m'endormir après.

Il alluma et saisit une feuille de papier. Pour une fois, les mots lui arrivèrent aussi rapidement que la musique.

Il connaissait même déjà le titre : *Fille du clair de lune*. Alors qu'il fignolait la mélodie, il commença à marmonner les paroles.

— Un sourire aussi brillant que les étoiles... des cheveux qui brillent comme le feu...

C'était la première fois qu'une chanson lui venait aussi facilement ! Il ne savait pas d'où elle était venue, mais il était incapable de l'empêcher de jaillir.

Alors qu'il saisissait une autre feuille, il entendit un son dehors. Il lança un coup d'œil par la fenêtre. Justin était dans l'arrière-cour avec leur père. Ils formaient un caucus ; ça avait l'air sérieux.

Daniel recula de la fenêtre. S'ils levaient le regard et voyaient qu'il était debout, ils l'obligeraient à participer à leur pratique nocturne de football... et il avait une chanson à composer.

La prochaine ligne... Daniel se gratta la tête en essayant de penser. Les paroles avaient été claires avant que les bruits de l'arrière-cour le dérangent, mais à présent…

Il se gratta le bras, puis sa jambe commença à fourmiller.

Mince ! Je savais que je n'aurais pas dû flatter le chien d'à côté. J'aurais dû savoir qu'il avait des puces !

La démangeaison envahit son autre jambe, et il gémit.

Alors qu'il se grattait, Daniel aperçut le réveille-matin illuminé dans le coin de la chambre. Il était une heure quatre.

– Bonne fête à moi, bonne fête à… Aaah !

Il arrêta de chanter, car ses dents se mirent à élancer. Il n'aurait probablement pas dû manger un beigne avant de se coucher, mais il avait encore faim après le souper.

Il soupira et passa sa langue sur ses dents.

– Aïe !

Il couvrit sa bouche d'une main et, lorsqu'il la retira, il vit du sang sur son doigt.

Il prit une grande inspiration en essayant d'ignorer les sensations de fourmillement bizarres qui parcouraient son corps.

N'y pense pas. Concentre-toi sur la chanson.

Il ramassa sa guitare, mais il se figea lorsqu'il vit ses ongles… qui étaient soudainement si longs qu'ils dépassaient les cordes de sa guitare.

Un sentiment de panique l'envahit.

Je dois être en train de faire un cauchemar.

Il laissa tomber la guitare sur le lit en essayant de ne pas regarder ses mains. Puis il se précipita dans la salle de bain qu'il partageait avec Justin.

Je vais m'asperger le visage d'eau. Ça va me réveiller.

Il ouvrit la porte de la salle de bain sombre et faillit chanceler en raison de l'odeur étouffante de dentifrice. Justin en avait-il échappé un tube au complet ?

Daniel grimaça et couvrit ses oreilles avec ses mains.

Et depuis quand Maman ronfle si FORT ?

Il se força à entrer dans la salle de bain, ouvrit le robinet et éclaboussa son visage d'eau froide, mais quelque chose lui semblait… *différent.* C'était presque comme si son visage…

Son estomac se noua d'angoisse. Il allongea le bras vers l'interrupteur, puis il s'arrêta et ferma les yeux très fort.

Est-ce que je veux vraiment voir ça ?

Il prit une grande inspiration et sentit ses dents érafler l'intérieur de ses lèvres. Il frissonna et actionna l'interrupteur.

Lorsque la lumière s'alluma, Daniel eut le souffle coupé en regardant son reflet dans le miroir. Il couvrit sa bouche d'une main... mais ce n'était pas assez pour empêcher le son de sortir :

— Ahouuuuuuuuuuuuuuuuuuuuu !

CHAPITRE 3

Dès le moment où le réveille-matin de Justin sonna, des souvenirs de la nuit précédente envahirent son esprit. Il gémit et tira l'oreiller par-dessus sa tête.

Quel désastre.

Puis il se souvint de ce que l'entraîneur disait toujours lorsqu'un des équipiers boudait : « Ressaisis-toi, le p'tit ! »

Il secoua la tête, sourit et se trouva ridicule d'être une telle mauviette. Il n'était peut-être pas encore un loup-garou à part entière mais, aujourd'hui, il avait treize ans. Le temps était venu d'aller retrouver son jumeau pour leur tradition d'anniversaire préférée : les piles de crêpes !

C'est vrai qu'un gros déjeuner de crêpes n'était pas nécessairement la meilleure idée pour le jour de ses essais de football mais, après hier soir, il trouvait qu'il le méritait vraiment. Et de toute façon, Daniel n'accepterait jamais qu'ils manquent leur rituel de déjeuner d'anniversaire.

Mais où est Daniel ?

Pour une fois, Justin n'entendait aucun bruit provenant de la chambre de son frère. Même lorsque ce n'était pas leur anniversaire, Daniel était habituellement le premier levé, comme un… euh… comme cet animal qui fait un vacarme le matin !

Justin prit la carte d'anniversaire qu'il avait achetée pour Daniel, frappa à la porte de son frère… et se fit répondre par un grognement.

Justin fronça les sourcils. Daniel n'était habituellement pas grognon, le matin. Il haussa les épaules, frappa encore à la porte, puis entra dans la chambre, où il faisait un noir d'encre.

– Bonne fête, le frère ! Prêt pour des piles de crêpes ?

Silence.

– Allez, frérot !

Justin leva les yeux au ciel.

— Nous avons treize ans, pas trente ! C'est pas le temps de faire ta crise de la trentaine.

Il s'esclaffa, puis s'arrêta lorsqu'il se rendit compte que Daniel ne riait pas.

— Hé ! C'était *drôle,* OK ?

Toujours rien.

Justin prit un air renfrogné, se rendit d'un pas lourd jusqu'à la fenêtre et ouvrit les rideaux.

— C'est l'heure de te lever, jumeau.

Lorsqu'il se retourna, il vit que Daniel avait tiré sa couverture par-dessus sa tête. Justin, incrédule, secoua la tête.

— T'es sérieux, là ? Qu'est-ce que t'as ?

— Rien.

Le grognement de Daniel était étouffé par la couverture.

— Laisse-moi tranquille.

Justin fixa la bosse sous les couvertures.

— Qu'est-ce qui ne va pas ?

Devant l'absence de réponse, il tenta de comprendre par lui-même.

— Je sais que tu allais bien hier soir. Donc, qu'est-ce qui aurait pu t'arriver entre hier et maintenant pour… ?

Il prit une grande inspiration.

J'aurais dû savoir que ça allait arriver.

— Daniel ? dit-il en s'asseyant sur le bord du lit de Daniel. Est-ce que tu m'as entendu aller dehors avec papa, hier soir ?

Justin s'humecta les lèvres nerveusement.

Je dois être honnête avec lui... même si je ne peux pas lui avouer toute la vérité.

— Je sais que ça peut sembler étrange qu'on ne t'ait pas demandé de venir avec nous, et je sais que papa a agi de manière bizarre à propos de cet anniversaire, mais... il nous aime autant l'un que l'autre, OK ? C'est juste que j'ai plus de choses en commun avec lui. J'aime les sports, tout comme lui ; tu es plus musical, comme maman. C'est...

Il soupira et baissa le regard pour regarder ses mains.

— C'est juste ça. Vraiment.

Je déteste mentir à mon jumeau.

Justin trouvait quand même qu'il avait bien fait ça. Il avait été sensible et attentionné, tout comme maman lui disait toujours de le faire. Une personne raisonnable n'aurait aucunement pu être fâchée contre lui après ce discours-là...

Mais à en juger par le silence total de Daniel sous la couverture, ça n'avait servi à rien avec son frère.

Tout comme hier soir, Justin avait déçu un membre de sa famille.

— Oublie ça, marmonna-t-il en laissant la carte d'anniversaire de Daniel sur le lit et en se dirigeant vers la porte. Oublie notre fête, alors. Et oublie les piles de crêpes. Je n'en veux plus.

Lorsque sa porte se referma, Daniel tressaillit. Il détestait agir si méchamment envers Justin… mais il n'avait pas eu le choix. Comment aurait-il pu dire à son frère qu'il s'était transformé en un genre de garçon poilu bizarroïde ?

Un sentiment de panique l'envahit à nouveau, et il se sentit étourdi et étouffé dans sa caverne sous la couverture.

Je ne peux pas croire que ça m'arrive.

Tout d'abord, il s'était coupé la langue sur ses dents la veille. Et puis…

Une minute.

Daniel cligna des yeux.

Ma langue ne me fait plus mal.

Il s'arma de courage, passa sa langue sur ses dents, et…

Elles sont revenues à la normale !

Daniel repoussa la couverture et fixa ses mains. Ses ongles étaient redevenus juste des ongles. Ils étaient peut-être un peu longs pour jouer de la guitare, mais ils n'étaient plus du tout comme la veille.

Il ne reste qu'une chose à vérifier.

Il prit une grande inspiration. Lentement, il leva les mains à son visage.

Il est normal !

Il tâta ses joues et son front.

Juste de la peau ! Comme d'habitude !

Et ça voulait dire…

Ce n'était qu'un rêve. Un horrible cauchemar bizarre !

Daniel était presque étourdi de soulagement. Il bondit hors du lit, courut jusqu'à la salle de bain et verrouilla la porte sans allumer la lumière. Il prit une grande inspiration et alluma la lumière.

S'il vous plaît, s'il vous plaît, s'il vous plaît, faites que ce soit juste un rêve !

Il ouvrit les yeux et…

Complètement normal.

Daniel poussa un soupir de soulagement et retourna dans sa chambre. Le soleil entrait par les fenêtres, illuminant sa chambre *normale*. Il n'y avait rien d'effrayant, rien de bizarre, et il était absolument correct. Juste un garçon de douze ans complètement normal…

Non, pas douze ; treize ! Daniel posa les yeux sur la carte d'anniversaire au bout de son lit.

Oh, oh.

Justin lui avait sûrement apporté la carte avant qu'il soit chassé par la mauvaise humeur de Daniel.

– Daniel ! cria sa mère d'en bas. Descends-tu déjeuner, mon chéri ?

Daniel ramassa la carte, ouvrit sa porte et se précipita dans les marches, les descendant deux à la fois.

– Justin ! cria-t-il. Hé, Justin !

Il n'y eut aucune réponse de son jumeau, mais il sourit largement lorsqu'il s'approcha de la cuisine et entendit le tapage des casseroles.

Ouais, je suis prêt pour des crêpes d'anniversaire… des piles et des piles de crêpes !

Une heure plus tard, les jumeaux montaient les marches de l'école secondaire Pine Wood ensemble, et Justin se sentait beaucoup mieux. Même son cours de physique ne pouvait l'empêcher de rayonner de bonheur en ce jour d'anniversaire, maintenant que son frère n'était plus grognon.

Mais à côté de lui, Daniel fronça les sourcils et s'arrêta pour fixer un nouveau graffiti sur l'enseigne de l'école.

– Je ne comprends pas. Pourquoi quelqu'un a-t-il inscrit « Lu » devant le mot « Pine » ?

– Aucune idée !

Justin haussa les épaules et tenta d'avoir l'air innocent alors qu'il continuait de gravir les grandes marches en pierre. Son frère ne comprenait peut-être pas, mais « lupine » voulait dire « comme un loup ». Les loups-garous de l'école secondaire Pine Wood voulaient faire passer un message... juste à temps pour les essais de football.

Son estomac se noua à cette pensée, mais il ravala sa panique.

C'est encore ma fête, et c'est la première journée d'école.

– Viens, frérot, dit-il en faisant signe à son frère de le rattraper. Il faut aller régler nos horaires.

– Ouais.

Daniel haussa les épaules et le rejoignit.

Lorsqu'ils entrèrent dans le grand hall, les jumeaux se déplacèrent d'un côté pour consulter leurs horaires. Des hordes d'étudiants couraient dans toutes les directions pour trouver leur casier et leur classe. L'air était chargé d'une énergie si intense qu'elle rappelait l'ambiance qui régnait juste avant un match de football. Justin profitait pleinement de cette montée d'adrénaline...

... jusqu'à ce qu'une voix beaucoup trop familière se fasse entendre derrière lui.

— Te voilà !

Mackenzie Barton était déjà vêtue de son uniforme de meneuse de claque, y compris les pompons qu'elle agitait vers Justin d'un air menaçant.

— Je t'ai cherché partout !

— Euh... ah oui ?

Justin sentit Daniel s'éloigner de lui furtivement.

Traître !

Il s'étira et saisit l'horaire de son jumeau, le coinçant sous son bras pour le tenir en otage.

Si je dois composer avec la reine des méchantes, tu dois rester aussi !

— Qu'est-ce que tu veux, Mackenzie ?

— Je voulais juste que tu saches que j'ai déjà inventé ton cri, dit-elle d'un air suffisant. Je l'ai préparé, tu sais, parce que je vais être la meneuse de claque en chef, cette année.

Daniel se racla la gorge.

— Je pensais que les essais de meneuses de claque n'étaient que cet après-midi.

Elle leva les yeux au ciel.

— Peu importe ! C'est pas comme si on ne le savait pas déjà.

— Il ne faut pas vendre la peau de l'ours avant de l'avoir tué, Mackenzie, dit Justin. Tu pourrais être nommée chef des meneuses de claque, mais je pourrais ne pas intégrer l'équipe de football.

Mackenzie secoua la tête, et sa queue de cheval brune luisante effleura son visage.

— Ne sois pas ridicule. Tout le monde en ville sait que c'est ton année.

Justin déglutit avec peine.

— Ouais, eh bien, tout le monde pourrait se tromper.

Le simple fait d'y penser fit perler des gouttes de sueur sur son front.

— Fais-moi confiance… Ce n'est vraiment pas gagné d'avance.

Mackenzie plissa les yeux.

— Tu vas avoir de *gros* problèmes si tu n'entres pas dans l'équipe après tous les efforts que j'ai faits pour ton cri. Ça m'a pris quasiment tout l'été. En plus, tu ferais mieux d'avoir la position de porteur ! As-tu idée des efforts que j'ai dû faire pour trouver une rime avec le mot *Packer* ?

Après avoir prononcé ces mots, elle s'en alla d'un pas décidé, alors que Justin demeurait là à la fixer. Justin déglutit en sentant toute la joie de son anniversaire s'évaporer et un sentiment de stress et de pression s'installer à la place.

Pine Wood avait gagné le championnat régional de football lors des quatre dernières années, surtout à cause de leur secret bien caché : tous les joueurs de l'attaque et la plupart des joueurs de la défense étaient des loups-garous. Donc, ils étaient plus forts et naturellement plus athlétiques que leurs adversaires. Étant donné que la plupart des autres gars qui allaient se joindre à l'équipe aujourd'hui avaient eu treize ans plus tôt dans l'année, ils avaient eu suffisamment de temps pour s'habituer à leurs pouvoirs de loup-garou.

Mais pas moi.

Tout d'un coup, Justin se sentit très seul malgré la foule d'étudiants qui tourbillonnait autour de lui.

Puis, Daniel lui donna un petit coup de coude.

— Wow ! As-tu vu ça ? Elle présume vraiment beaucoup de choses.

— Quoi ?

Justin cligna des yeux, puis il suivit du regard le doigt de Daniel, qui désignait quelque chose. Les mots « Meneuse de claque en chef » étaient inscrits en grosses lettres brodées sur le dos de l'uniforme de meneuse de claque de Mackenzie.

— Wow, dit Justin à son tour. Elle est vraiment confiante.

J'aimerais l'être aussi, se dit-il.

Il n'avait pas dit les mots à voix haute, mais Daniel semblait les avoir entendus. Il donna une si forte tape sur le dos de Justin que ce dernier chancela.

— Ne t'en fais pas, frérot. Pour une fois, Mackenzie a raison. Tu es le meilleur joueur de football que je connaisse.

Justin leva les yeux au ciel.

— Tu ne connais aucun autre joueur de football, frérot.

— Exactement.

Daniel lui fit un clin d'œil et reprit son horaire, qui était toujours coincé sous le bras de Justin.

— Oh, avant que j'oublie…

Daniel fouilla dans son sac à dos et en sortit une pile de feuilles rouge et noire.

— Penses-tu pouvoir accrocher quelques-unes de mes affiches en allant à ton premier cours ?

— Pourquoi pas ? dit Justin en prenant les affiches. Est-ce qu'elles sont pour les auditions pour ton groupe ?

— Elles commencent tout de suite après tes essais, dit Daniel en hochant la tête. J'espère que quelqu'un avec du vrai talent se présentera. On a besoin d'un bon chanteur si on veut s'améliorer.

Justin haussa les épaules.

— Trouver un chanteur ne peut pas être si compliqué que ça. Après tout, il y a une chorale entière dans cette école.

— Ouais, mais est-ce que ses membres peuvent *rocker* ?

Daniel soupira.

— J'imagine que si je n'avais pas le choix, je pourrais chanter *et* jouer de la guitare, mais je préférerais juste jouer de la guitare.

— Espérons que tes affiches attireront une star, alors, dit Justin en regardant les lettres rouge sang sur l'affiche du dessus.

Es-tu prêt à rocker grave ?
Veux-tu libérer la BÊTE en toi ?
Dans la bergerie cherche un nouveau membre !

Justin étouffa un rire. Si seulement Daniel était au courant ; il y avait beaucoup de bêtes à Pine Wood qui n'attendaient que d'être libérées.

— Pourquoi souris-tu ? demanda Daniel.

— Euh...

Justin ne savait pas quoi dire.

— Pour rien ! répondit-il. Je...

Tout à coup, un énorme boum se fit entendre sur les casiers qui se trouvaient derrière eux.

Dieu merci, se dit Justin, soulagé. *Pas besoin de m'expliquer !*

Il se retourna pour voir ce qui avait fait le bruit, et la nervosité s'étendit sur tout son corps comme un coup de soleil. Riley. *Oh non !* Il regarda partout en cherchant une façon de se sauver.

Pourquoi n'y a-t-il aucune place pour se cacher dans ce corridor ? Quelle sorte d'école n'installe pas de corridor secret pour les moments comme celui-ci ?

Mais il n'y avait rien à faire. Justin prit une grande inspiration et se força à faire un grand sourire en serrant les dents.

Elle se dirigeait vers eux d'un pas décidé à travers la foule avec un sourire qui aurait pu illuminer l'école tout entière. Justin faillit ne pas remarquer la pile de livres et de planchettes à pince qu'elle transportait. Il était totalement concentré sur ce visage mignon qui lui faisait fléchir les genoux depuis l'année passée, lorsque tout avait changé.

Ne sois pas stupide, se dit-il sèchement. Elle n'est qu'une amie.

Justin et Daniel allaient à la même école que Riley depuis la maternelle. Elle avait été dans la chorale avec Daniel pendant des années, et elle était la seule personne en ville, à l'exception de leurs parents, qui pouvait différencier les jumeaux. Elle lui était aussi familière que les maisons de son quartier.

Mais, l'année précédente, Justin avait commencé à la regarder différemment.

– Hé ! dit-elle en s'arrêtant brusquement devant eux, échappant des feuilles de papier partout autour d'elle sans même sembler s'en apercevoir. Comment vont mes jumeaux préférés ?

— Euh.

Justin s'étouffa.

— Eurk...

Oh non ! Elle va penser que je fais un genre de crise !

Il se pencha rapidement et commença à ramasser les feuilles de Riley.

Au moins, elle ne peut pas voir mon visage comme ça.

— Il me semble que c'est votre fête, aujourd'hui, non ? demanda Riley d'un ton enjoué.

— Oui, c'est ça.

Daniel leva sa pile d'affiches alors que Justin se redressait.

— Mais j'ai vingt affiches à poser avant le premier cours ; je dois donc y aller. Tout de suite.

— Oh, dit Riley en laissant tomber ses épaules alors que son sourire disparaissait.

— À plus.

Daniel décolla sans regarder en arrière.

Justin remit les feuilles à Riley, mais elle ne le remarqua même pas. Elle était trop occupée à fixer Daniel.

Oh non. Justin sentit son estomac se nouer quand il vit son expression. Elle regardait sans aucun doute son frère rêveusement.

Est-ce qu'elle aime Daniel ?

Il devait le découvrir.

— Alors, quoi de neuf ? demanda-t-il en lui tendant ses feuilles de la manière la plus nonchalante possible.

Malheureusement, il le fit avec un peu trop de nonchalance. Lorsqu'elle se retourna, Riley heurta la main de Justin et fit retomber les feuilles encore, ainsi que tous ses livres.

— Aïe ! cria-t-elle lorsque le plus lourd des livres tomba sur ses orteils.

Elle sautilla sur une jambe, se pencha pour tenir son pied blessé et percuta un élève de secondaire 1.

— Désolée.

Mort de gêne, Justin se remit à genoux pour ramasser ses feuilles et ses livres une fois de plus.

— Rien de spécial, dit doucement Riley en prenant la pile que Justin lui tendait. Je voulais juste… *parler…* à Daniel.

— Parler ?

La voix de Justin était étouffée.

Et que voulaient dire toutes ces pauses ?

Elle avait fait une pause avant de dire le nom de Daniel ! Et encore avant le mot « parler » !

Elle aime mon frère.

Son estomac était maintenant totalement noué.

Ressaisis-toi, le p'tit loup ! se réprimanda-t-il silencieusement. *Ne montre pas tes sentiments !*

Il se racla la gorge.

— Donc, tu voulais parler à Daniel ?

Voilà. Ça a eu l'air totalement normal. Je n'ai pas du tout l'air de paniquer. Ce que je ne fais pas. Pas du tout.

Riley rougit en rapprochant la pile de feuilles et de livres de son corps.

— Ouais. Tu sais.

Elle désigna de la tête les affiches que Justin tenait.

— Les auditions.

Ce n'est pas Daniel ! C'est juste le groupe !

Justin laissa échapper un rire de surprise.

— Attends, *tu* veux être leur chanteuse ?

Riley fronça les sourcils.

— Pourquoi tu dis ça comme ça ?

— Eh bien…

Justin haussa les épaules en regardant ses vêtements BCBG et la pile de livres et de planchettes à pince qu'elle transportait.

— J'te vois juste pas comme une fille *rockeuse.* Tu sais, le genre de fille qui veut « libérer la bête cachée » et tout ça.

— Pourquoi pas ?

Justin sentit le mécontentement dans ses yeux plissés.

— Eh bien, tu sais. Tu es plutôt... tu sais...

— Plutôt *quoi ?*

Riley lui parlait maintenant d'un ton glacial. Elle le fixa.

— Tu sais... Justin grimaça.

Arrête de dire « tu sais », parce que, évidemment, tu ne sais rien !

— Oublie ça.

Elle saisit une affiche de la pile que Justin tenait.

— Merci d'avoir dit ce que tu penses vraiment de moi.

— Je... Je...

Mais il était trop tard. Riley s'en allait déjà en fulminant, avec sa démarche légèrement gauche qui était si adorable que Justin en perdait tous ses moyens.

Maintenant, il ne voulait que se donner un gros coup de pied.

Bravo, l'idiot. T'aurais pas pu au moins finir ta dernière phrase ?

Il laissa tomber ses épaules et termina la phrase dans sa tête.

T'es plutôt… gentille.

Une nanoseconde plus tard, toute pensée fut chassée de son esprit quand cinq garçons lui foncèrent dessus avec la force d'un camion et le firent tomber contre le mur de casiers.

– Bonne fête de bête, mon gars !

C'était l'un des cinq sportifs qui représentaient le cœur de l'attaque de l'équipe de football, connus par tout le monde sous le nom « les Bêtes », ce qui les représentait mieux que la plupart des étudiants de Pine Wood pouvaient l'imaginer.

– Aïe !

Justin tenta de camoufler son cri de douleur, mais il ne réussit pas. Ça avait fait *mal !*

Les Bêtes rirent en entendant ça.

– *Aïe* ! Elle est bonne !

Kyle Hunter, le chef, frappa son épaule avec son poing massif en guise d'approbation.

– Comme si ça aurait pu faire mal à un lupin comme toi !

– Ha, dit Justin. Ouais.

Il grimaça et fit tourner l'épaule que Kyle avait frappée.

— Un classique.

— Et alors, demanda Ed Yancey, le meilleur ami de Kyle, est-ce que c'est arrivé hier soir comme tu t'y attendais ?

— Euh...

— Qu'est-ce que ça t'a fait ? s'immisça Chris Jordan. Es-tu prêt à faire face aux Tigres ?

— Les Tigres...

La respiration de Justin s'accéléra. Les Tigres étaient les principaux rivaux de Pine Wood, et les deux équipes allaient s'affronter lors du premier match de football de l'année dans une petite semaine.

Et Justin n'allait pas se transformer en loup-garou avant le mois *prochain* !

Il fit semblant de rire, mais il ne se sentait pas bien.

— Bande de mauviettes, dit-il. Je n'ai pas peur d'eux.

Les gars se mirent tous à rire d'approbation, ce qui déclencha une autre ronde de coups de poing de célébration. Justin se força à garder le sourire.

— Mais les gars, j'ai pas encore été accepté dans l'équipe, donc...

— Hé mon gars, dit Kyle en secouant la tête. C'est gagné d'avance ! Tout le monde sait que t'as toujours été un athlète exceptionnel, et ça, c'était *avant*. Si t'étais déjà aussi bon que ça, imagine à quel point tu vas être bon, maintenant que…

Il arrêta de parler et regarda tout autour, puis il s'approcha de Justin et chuchota, son haleine parfumée de bacon :

— … tu es pleinement loup.

Justin demeura là, totalement figé, se sentant comme une souris prise dans les griffes d'un chat.

— Ouais, dit-il. Pleinement loup, comme vous tous. Totalement.

— Mon gars, on a *tous* hâte de voir tes essais, dit Kyle.

Il recula et fit un tope là qui faillit disloquer l'épaule de Justin.

— On s'voit après l'école !

— À plus, répéta faiblement Justin.

Il regarda les Bêtes s'éloigner dans le corridor, formant une masse de muscles et de force prédatrice.

Reste cool, s'ordonna-t-il.

Malgré les contusions douloureuses où ils l'avaient frappé, Justin n'émit pas un son et ne se laissa pas retomber vers les casiers.

Il savait que leurs sens de loup-garou leur permettraient de tout entendre, même s'ils étaient désormais à l'autre bout du corridor.

Cependant, à l'intérieur de lui-même, il gémissait. Les essais de cet après-midi allaient être pas mal plus difficiles que prévu.

CHAPITRE 4

Daniel se dirigeait vers son premier cours lorsqu'il entendit quelqu'un l'appeler.

C'était Debi.

Elle portait une camisole jaune vif et une longue jupe fluide.

– Hé ! T'en vas-tu au cours de sciences humaines de monsieur Grant ?

– Euh…

Le cœur de Daniel battait si fort alors qu'elle s'approchait de lui qu'il avait de la difficulté à réfléchir. Pire encore, sa peau semblait si chaude sous son regard qu'il était certain d'avoir rougi.

Puis, Debi haussa les sourcils, et Daniel se rendit compte qu'il ne lui avait pas encore répondu.

Allez, Packer. Tu connais la réponse !

— Ou-ou-oui ? dit-il. *Oui*, je veux dire ! C'est là que je vais.

— Cool !

Elle sourit et se mit à marcher avec lui, ses longues boucles rousses rebondissant sur ses épaules.

— Je ne connais quasiment personne ici. Je suis contente qu'on ait un cours ensemble.

— Ouais, dit Daniel alors qu'ils entraient ensemble dans la classe.

Ils s'arrêtèrent juste après avoir passé la porte. Daniel ravala sa salive lorsque les cheveux de Debi frôlèrent son bras.

— Oh, en passant, Riley m'a inscrite au club de lecture, dit-elle. Est-ce que tu vas t'inscrire à celui-là aussi ?

— Euh…

Daniel essayait de penser. Il essayait vraiment fort, mais Debi était si près de lui qu'il était certain que son cerveau avait fait un court-circuit. Puis, quelqu'un poussa un sifflement admiratif, et il sortit de sa rêverie. Toute la classe les regardait, même leur enseignant.

Monsieur Grant se racla la gorge bruyamment.

— Je vous demanderais de vous installer…

Daniel se laissa tomber sur un siège.

S'il vous plaît, faites que je ne sois pas tout rouge.

Il sentit Debi s'asseoir au pupitre derrière lui, mais il n'osa pas se retourner. Au lieu de cela, il fixa son regard sur son enseignant comme si la création de villages de pèlerins lors de la formation des États-Unis l'intéressait vraiment.

Ouais, c'est ça.

En temps normal, le cours d'histoire l'ennuyait mais, ce jour-là, c'était simplement ridicule. Il n'avait jamais été aussi distrait de sa vie. Ses sens semblaient si aigus qu'il pensait entendre les stylos gratter sur les feuilles dans les classes tout autour de lui. Ça devait sans doute être son imagination, mais il ne pouvait ignorer le son de l'enseignant d'art qui divertissait ses élèves cinq classes plus loin.

— Donc, quand le juge a demandé au voleur pourquoi il avait volé le Picasso, le voleur lui a répondu que c'était parce qu'il n'avait pas de Monet!

Ouf!

Ce jeu de mots était si affreux que Daniel ne put s'empêcher de ricaner.

— Je vous demande pardon ?

Tout d'un coup, monsieur Grant surgit devant son pupitre.

— Vous trouvez que les chapeaux des pèlerins sont *amusants,* monsieur Packer ?

— Euh…

Daniel avait envie de rentrer sous terre. Il secoua la tête.

— Non, monsieur.

— Non ? Alors pourriez-vous expliquer à toute la classe ce qui a bien pu vous faire rire ?

Daniel sentit tout le monde dans la classe, y compris Debi, se retourner pour le regarder, et il se cala un peu plus dans son siège. Sous son pupitre, même ses mains étaient brûlantes de gêne. Au milieu des rires autour de lui, il se força à prononcer quelques mots.

— Ce n'était rien, monsieur.

— Rien ? En êtes-vous certain ?

Monsieur Grant demeura là pendant un bon moment en fusillant Daniel du regard.

Lorsque monsieur Grant se retourna enfin pour reprendre la leçon, Daniel poussa un soupir de soulagement, après quoi il baissa le regard sur ses mains et… se figea.

Oh non.

Ses mains ne brûlaient pas de gêne, elles brûlaient de *changement* !

Il fut pris d'un sentiment de panique en les regardant. De longs poils avaient surgi sur le dos de ses mains, et ses ongles mesuraient soudainement au moins un centimètre.

Daniel enfouit ses mains dans les poches de ses jeans, mais il ne pouvait plus tenter de nier la vérité. Il serra les lèvres pour retenir un hurlement de panique.

Ce n'était pas un rêve, après tout. C'était vrai ! Je suis vraiment un…

Misérable, il ferma les yeux.

Un gars bizarre !

Puis, il ouvrit les yeux brusquement lorsqu'il entendit des rires autour de lui encore une fois, et il s'aperçut qu'il n'avait pas réussi à complètement camoufler son hurlement, après tout. Un drôle de gémissement, semblable à celui d'un chien, était sorti de sa bouche… et toute la classe l'avait entendu.

— Avez-vous quelque chose de nouveau à ajouter à notre discussion, monsieur Packer, ou voulez-vous divertir la classe en agissant en clown ? demanda froidement monsieur Grant.

— Non, monsieur, marmonna Daniel.

Il fixa son pupitre.

Reste calme. Reste calme.

C'était une cause perdue. Lorsque quelque chose heurta sa chaussure, il sursauta si fort que ses genoux frappèrent son pupitre.

— Désolée, chuchota Debi derrière lui.

Lorsque Daniel se retourna pour la regarder, elle prit une expression de chagrin et indiqua de sa tête le plancher où son stylo à gel rose était tombé, juste à côté de la chaussure de Daniel. Ils ne pouvaient pas parler parce que monsieur Grant papotait près d'eux, mais elle fit un geste empreint d'espoir avec sa main, le suppliant de le lui donner.

Daniel fixa le stylo, la poitrine soudainement serrée. Ça aurait dû être si facile de se pencher et de le ramasser. C'était ce que la politesse exigeait, la chose normale à faire, mais si Debi voyait ses mains…

Il frissonna.

Là, elle saurait que je suis bizarre.

Il devait y avoir une autre façon.

Je pourrais juste le pousser vers elle avec mon pied…

Il étira le bout de sa chaussure.

Juste un petit coup…

Le stylo explosa en mille miettes, et l'encre rose se répandit partout. Il y eut des cris de surprise et de peur, mais Daniel se concentrait uniquement sur l'énorme tache rose qui se trouvait désormais sur la jupe de Debi…

Humilié, il leva lentement le regard pour apercevoir le visage stupéfait de Debi. Il sentait la salle tourbillonner autour de lui. Les autres étudiants criaient et tentaient d'essuyer l'encre qui avait taché leurs vêtements.

Avant que Daniel ne puisse émettre un seul mot, leur enseignant arriva, furibond.

— Monsieur Packer ! Mais que diable faites-vous ?

La mâchoire de monsieur Grant se serrait et desserrait alors qu'il examinait la dévastation d'encre éclaboussée. Après un moment, il se retourna vers Daniel.

— Et pourquoi restez-vous assis là avec vos mains dans vos poches ? Essayez-vous d'être insolent en plus de tout détruire ?

— Non, monsieur, marmonna Daniel. Je suis désolé.

Il glissait de plus en plus bas dans son siège, mais ses excuses n'étaient pas suffisantes, et tandis que le sermon de son enseignant l'anéantissait comme un raz-de-marée, il ne pouvait plus tenter de cacher la vérité.

Ce n'était assurément pas l'anniversaire qu'il avait espéré.

Ce n'est vraiment pas l'anniversaire que j'avais espéré, se dit Justin.

Le temps des essais était enfin arrivé, et il était en caucus avec leur entraîneur et les autres gars qui tentaient d'obtenir une place à l'attaque. Ils portaient tous leur équipement complet de football et, dans l'intimité de leur groupe, l'entraîneur se sentait bien à l'aise de parler de *tout* ce dont il s'attendait d'eux.

— Vous devez utiliser vos sens lupins pour anticiper les jeux, les gars.

Justin voulait crier : « Et si jamais je n'en ai pas ? »

Il ravala ses paroles et tenta de repousser la panique qui commençait à l'envahir.

Ça va bien aller, se dit-il. J'ai déjà joué avec tous ces gars dans le cours d'éducation physique.

Il avait été l'un des meilleurs joueurs l'année précédente.

Mais c'était avant que les autres se transforment, se rappela-t-il.

Cependant, il y avait des gars réguliers qui tentaient d'obtenir une place à la défense et aux unités spéciales de l'équipe. Ils ne sauraient pas qu'il n'était pas un loup-garou avec des habiletés extra-spéciales.

Mais les Bêtes le sauront.

Il jeta un coup d'œil furtif vers Kyle et les autres alors qu'ils écoutaient les instructions de l'entraîneur. Les Bêtes étaient peut-être des gueulards grossiers et super machos, mais ils n'étaient pas *complètement* idiots.

Puis, Ed Yancey et Chris Jordan se donnèrent un coup de tête si fort que les deux tombèrent par terre.

— Ha ! Bien joué, mon gars ! crièrent-ils en même temps.

OK, se dit Justin. *Ils sont peut-être idiots.*

Lorsque l'entraîneur se redressa, il frappa dans ses mains pour signaler le début des essais, et Justin prit une grande inspiration.

Il faut que je réussisse, d'une manière ou d'une autre.

Il serra les dents et courut jusqu'au terrain.

Après quelques minutes, il commença à se détendre. Loup-garou ou non, c'était quand même du football, la chose qu'il aimait faire plus que tout au monde. Après avoir fait de beaux lancers et attrapers, il commençait à se sentir plus à l'aise.

Puis, Ed lui lança le ballon. *Fort.*

Aïe !

Justin s'empêcha de gémir. Oui, il l'avait attrapé, mais le ballon était arrivé avec une telle force que c'était comme si une boule de quilles l'avait frappé en pleine poitrine. Ses mains étaient endolories, et on aurait dit qu'il avait des côtes fêlées.

Ressaisis-toi, le p'tit loup ! s'ordonna-t-il.

Cela lui fit du bien, et il trouva l'énergie nécessaire pour courir. Il sauta par-dessus le premier plaqueur en portant le ballon près de sa poitrine.

J'y suis presque…

Puis, le deuxième plaqueur le frappa de pleine force et le fit tomber au sol.

Est-ce que je suis mort ?

Une main forte aida Justin à se relever. C'était Kyle.

— Tu fais bien semblant d'être humain, chuchota-t-il, mais tu n'as pas à trop en mettre. Tout le monde sait que Pine Wood a des joueurs super forts ; c'était comme ça même dans le temps de nos pères.

Justin hocha la tête avec une expression de tristesse.

Je sais.

Son père gardait toujours ses anciens trophées de football dans le salon. Il attendait, *prévoyait,* que les trophées de Justin s'y joignent.

— N'essaie pas de jouer « humain », dit Kyle. Les gens du coin sont habitués de voir nos joueurs courir un peu plus vite et frapper la marque un peu plus robustement. T'en fais pas, OK ?

Justin tenta de lui répondre, mais seuls des halètements sifflants sortirent de sa bouche. Il sourit faiblement.

T'en fais pas ? se dit-il en regardant Kyle s'éloigner en se pavanant. *Comme si ça allait être possible…*

Justin avait passé tout l'été à rêver d'être accepté dans l'équipe de football… et désormais, il se demandait s'il sortirait des essais toujours en vie.

Je dois être le seul joueur du pays qui a plus peur de sa propre équipe que de ses adversaires, se dit-il en s'accroupissant pour le prochain jeu.

Les autres écoles n'avaient pas de loups-garous dans leurs équipes, au moins !

– Et… hop ! cria Kyle, et Justin se prépara à subir encore un assaut douloureux.

Daniel n'avait jamais été aussi soulagé de se retrouver sur scène avec son groupe. Oui, la journée avait été super difficile, mais maintenant qu'elle était finie, il n'avait qu'à penser à la musique, la seule chose qui lui faisait toujours du bien. Si seulement ils pouvaient trouver un autre gars pour se joindre à eux et former un groupe à quatre membres pour compléter leur son *hard rock*, ça serait vraiment un anniversaire mémorable.

Heureusement, les longs poils avaient disparu du dos de ses mains, et la seule chose qui l'irritait encore était sa frange fatigante. Elle n'arrêtait pas de lui tomber dans les yeux et était dans le chemin chaque fois qu'il se penchait vers l'avant pour se réchauffer à la guitare. Alors qu'il la poussait vers l'arrière pour au moins la sixième fois, il entendit son ami Nathan se racler la gorge.

Daniel se retourna. Comme toujours, Nathan avait la tête de l'emploi : il portait un ensemble à motif de camouflage, avait teint en violet la moitié de ses cheveux et avait hérissé le tout avec du gel. Il avait l'air cool, un peu comme une moufette qui aurait été prise dans un jeu de paintball.

— Euh… Daniel ?

Nathan le prit à part pour que les autres gars ne puissent pas les entendre. Le petit auditorium était encore vide ; les auditions n'allaient commencer que dans une quinzaine de minutes.

— Qu'est-ce qui se passe avec tes cheveux ?

Daniel fixa Nathan.

— Tu crois qu'il se passe quelque chose avec *mes* cheveux ?

Nathan fit signe que oui, les yeux écarquillés.

C'était sérieux.

— Attends-moi une minute, dit Daniel.

Il déposa sa guitare, saisit son sac à dos et courut jusqu'aux toilettes les plus proches.

Ce qu'il vit dans le miroir le fit gémir. Ses cheveux avaient poussé d'au moins trois centimètres depuis le matin. Ils étaient en bataille… et *pas* d'une bonne façon !

Il prit de l'eau de l'évier pour tenter de les discipliner, mais ils étaient encore plus ébouriffés.

Je ne peux pas tenir des auditions avec une tête comme ça ! Une minute…

Daniel se souvint soudainement que dans son sac à dos, il y avait des ciseaux qu'il gardait pour son cours d'arts. Il les sortit et commença à couper ses cheveux. Le plancher en était recouvert. Lorsqu'il termina, il se regarda à nouveau dans le miroir.

Mmh.

Ils étaient plus courts, mais est-ce qu'ils paraissaient normaux ? Il lança un coup d'œil à sa montre et prit une décision. Il n'avait plus le temps de s'inquiéter de ses cheveux. Les auditions étaient sur le point de commencer !

Il se précipita hors des toilettes et fonça directement dans quelqu'un qui passait devant la porte.

Oufff ! Daniel recula alors que des pompons papillonnaient devant ses yeux comme des pigeons en folie.

Lorsqu'il leva le regard, il fut bouche bée. Debi !

Pourquoi fallait-il que ce soit Debi ?

Il l'avait percutée si fort qu'elle avait aussi trébuché.

— Je suis vraiment désolé.

Il jura silencieusement et s'agenouilla pour ramasser ses pompons.

Pourquoi faut-il que je me comporte toujours en idiot quand je suis près d'elle ?

— Ce n'est pas grave. Mais, euh, Daniel…

Debi le regarda en fronçant les sourcils. Elle s'était changée et portait maintenant des shorts et des chaussures athlétiques, et elle sautillait sur le bout des pieds en désignant ses cheveux.

— Qu'est-ce qui s'est passé avec tes…

— Mes… quoi ? Daniel leva sa main d'un geste défensif vers ses cheveux nouvellement coupés courts.

— Euh… Oublie ça.

Elle mit une main devant sa bouche, couvrant ainsi son expression, mais Daniel eut l'impression qu'elle cachait peut-être un sourire.

— Donc, tu allais où ?

Les épaules de Daniel se détendirent, et il se releva.

— Aux auditions pour mon groupe. Et toi ?

Elle désigna du doigt les pompons dans ses mains.

— Je vais aux essais pour les meneuses de claque.

— Oh. D'accord.

Sans blague…

— Alors… j'imagine qu'on devrait se souhaiter bonne chance.

Debi sourit et s'approcha de lui.

— Bonne chance, Daniel.

La gorge Daniel s'assécha.

— Bonne chance, Debi.

Il ne pouvait être en retard pour les auditions. Il prit une grande inspiration et se retourna.

— Daniel ?

Sa voix l'arrêta avant qu'il n'ait fait un seul pas.

— T'as pas oublié quelque chose ?

— Hein ?

Il cligna des yeux et se retourna.

Elle montra ses mains et sourit.

— Mes pompons. Je vais en avoir besoin. À moins que tu envisages de les utiliser pour ton groupe ?

Oups !

Daniel sentit son visage rougir alors qu'il lui remettait les pompons.

— Non ! Non. Désolé. Tiens.

— Merci.

Toujours en souriant, elle les reprit de ses mains. Leurs doigts se frôlèrent pendant un long moment, puis elle s'éloigna dans le corridor, agitant avec entrain les pompons dans ses mains.

Mais, pour une quelconque raison, Daniel ne pouvait bouger, peu importe les auditions. Il demeura là, la regardant tandis qu'elle sautillait dans le corridor, ouvrait une porte…

… et se faisait ensevelir par une avalanche de vadrouilles, de balais et de serviettes.

— Debi !

Daniel courut vers elle. Ce n'est qu'en arrivant à ses côtés qu'il s'aperçut qu'il n'avait jamais couru aussi vite auparavant. Il ne savait même pas qu'il *pouvait* courir aussi vite !

— Je vais bien.

Debi secoua la tête et tendit sa main hors de l'avalanche pour prendre celle de Daniel. Alors qu'il l'aidait à se relever, des paquets de serviettes à main glissèrent de ses épaules et tombèrent par terre. Elle commença à rire et éloigna la vadrouille qui était tombée sur ses pieds.

— J'imagine que ce n'était pas le gymnase.

— Le gymnase ?

Daniel la fixa en l'aidant à se dégager du dégât.

— C'est de l'autre côté de l'édifice, près de la piscine.

— Mais Mackenzie a dit…

Debi soupira.

— Elle m'a donné des directions précises. J'imagine que j'ai dû me tromper.

— Grrrr…

Daniel sentit le grognement se développer dans sa gorge trop tard pour l'empêcher.

Debi cligna des yeux, puis elle regarda son estomac.

— T'as faim ?

— J'pense que oui, marmonna Daniel en camouflant le grognement. Mackenzie vivait dans la maison où tu vis maintenant, et elle est…

Il chercha un mot poli pour décrire Mackenzie.

— … pas très gentille. Comme je la connais bien, je dirais qu'elle a fait ça parce qu'elle ne veut pas que tu ailles aux essais.

— J'imagine qu'il y a une Charlotte Brown vilaine dans chaque ville, dit Debi en regardant ses chaussures avec un froncement de sourcils.

— *Une Charlotte Brown vilaine dans chaque ville* ? Hé, c'est quasiment poétique !

Daniel se sentait encore un peu déstabilisé, et il rit trop fort.

— Tu devrais peut-être composer des chansons avec moi !

Puis, il arrêta de rire lorsque Debi devint bouche bée et que son regard se leva pour rencontrer le sien. Il vit l'expression de choc sur son visage et se rendit compte qu'il tenait encore sa main.

Daniel laissa tomber sa main et fit un pas malhabile vers l'arrière.

Est-ce qu'elle pense que je viens de lui demander de sortir avec moi pour composer des chansons ? Ce n'est pas ce que je voulais dire… du moins, je ne pense pas.

Son cœur battait la chamade.

Et si jamais elle disait non ?

Est-ce que ça voulait dire qu'il n'aurait *jamais* une chance avec elle ?

Vite !

Daniel se racla la gorge.

Dis quelque chose tout de suite !

S'il disait quelque chose avant qu'elle puisse dire non, techniquement, elle ne l'aurait pas rejeté. Puis, à un moment ultérieur, peut-être, lorsqu'il se sentirait vraiment brave – et qu'il ne serait plus bizarre –, il pourrait lui demander de sortir avec lui de façon convenable.

– Daniel… commença Debi.

Ne la laisse pas te dire non !

– Je vais t'amener au gymnase ! dit-il. C'est sur le chemin pour aller à mes auditions.

– Oh. OK.

Elle hocha la tête en baissant les yeux sur ses pompons.

Était-ce de la déception sur son visage, ou du soulagement ? Daniel était si confus qu'il ne pouvait le deviner.

Mais il était sûr d'une chose : il allait être en retard aux auditions de son propre groupe. Mais, en comparaison à l'idée de se faire rejeter par Debi, ça ne le dérangeait pas du tout.

CHAPITRE 5

La toute première chose que Justin vit en sortant du vestiaire, c'était l'entraîneur en train d'épingler une liste de noms sur le babillard du département athlétique.

Justin se figea. Il voulait voir… Mais il voulait aussi ne *pas* voir…

Et si jamais je n'ai pas été sélectionné ? se dit-il. *Ressaisis-toi, le petit loup !*

Il prit une grande inspiration et s'esquiva d'un côté.

Je vais attendre que tout le monde s'en aille avant d'aller voir la liste.

L'attente sembla durer une éternité, mais le corridor se vida enfin. Justin se sentait comme un voleur alors qu'il se faufilait jusqu'au babillard. Il ferma ses yeux pendant un instant juste pour se préparer.

S'il vous plaît. S'il vous plaît. S'il vous plaît...

Une main lourde le frappa dans le dos et le fit sursauter.

— Hé, Packer !

Justin se retourna brusquement. Son cœur battait la chamade. Kyle lui faisait un sourire féroce.

— T'as vraiment besoin de regarder, mon gars ?

Alors que le bras robuste de Kyle traversait l'air en sa direction, Justin tenta de ne pas gémir en anticipant la douleur.

Il serra les dents derrière son sourire et accepta le tope là douloureux de Kyle.

— C'est sérieux ? Je fais partie de l'équipe ?

— Bien sûr, mais il faut que je te demande un truc. Mon gars, qu'est-ce que t'avais aujourd'hui ?

Kyle secoua la tête et échangea des regards avec les autres Bêtes qui s'étaient rassemblées derrière lui et qui pressaient Justin contre le babillard.

— Ouais, t'as bien performé, mais pas aussi bien que ce à quoi on s'attendait. As-tu attrapé la toux du chenil ?

— Euh…

— Il pensait sûrement à une *fille,* suggéra Chris Jordan en souriant.

Justin sentit son visage rougir.

Comment ont-ils su pour Riley ?

— Ha ! Regardez-le ! Tu avais raison !

Kyle hurla de rire.

— Ne rougis pas trop, Packer. Tu vas te *transformer* !

Les rires des autres Bêtes remplirent le corridor, et Justin était si gêné qu'il aurait préféré se trouver six pieds sous terre.

C'est quand même mieux que s'ils savaient la vérité à mon propos, finit-il par se dire.

Ed Yancey riait encore en mettant la main dans sa poche.

— Tiens, mon gars, tu auras besoin de ça.

Il donna un tube de gel à Justin.

— Ça aidera à maîtriser les choses quand tu ne pourras pas te rendre chez le barbier tout de suite.

— Euh… OK.

Justin mit le gel dans sa poche, bien conscient que ses cheveux n'avaient pas poussé d'un millimètre depuis la veille.

Si seulement j'en avais besoin…

— Alors, quels sont tes plans pour ton anniversaire ? demanda Chris. Aller hurler au Point lycan ? Aller te faire couper les cheveux ?

— En fait, je vais rencontrer mon frère au Bœuf et bonjour, dit Justin.

J'ai vraiment hâte de passer du temps avec quelqu'un qui ne s'attend pas à ce que je sois un loup-garou !

— Hé, moi aussi j'ai pas mal faim.

Kyle se gratta le ventre.

— Qu'en pensez-vous, la meute ? Est-ce qu'on y va aussi pour aider notre nouveau membre à célébrer ?

Une ronde de cris d'approbation robustes se fit entendre, et Justin se força à sourire.

— Génial, dit-il faiblement.

Pas un tope là de plus, s'il vous plaît…

Heureusement, Kyle devait retourner à son casier avant d'être prêt, et les autres gars voulaient tous y aller avec lui. Ils firent des plans pour se rencontrer au restaurant vingt minutes plus tard. Justin était enfin libre — pour le moment.

Il n'avait jamais été aussi content de se retrouver tout seul.

Ouf!

Il put enfin, en sortant de l'école, relâcher le gémissement qui s'était développé en lui pendant les essais.

Chaque muscle de son corps était endolori. Il se sentait comme un ballon de boxe après une longue séance d'entraînement.

Mais j'ai réussi !

Cela le fit sourire malgré la douleur. Il avait été sélectionné pour faire partie de l'équipe et avait été placé à l'attaque, rien de moins, même sans pouvoir spécial de loup-garou. Il avait assuré !

Il était si gonflé à bloc après ce triomphe que, pour une fois, il ne pensa même pas à se cacher lorsqu'il vit Riley monter les marches de l'école vers lui.

— Hé, Riley ! appela-t-il.

Il lui envoya même la main.

Regarde-moi ! se dit-il. *Je suis dans l'équipe de football, et je parle à Riley ; on dirait presque une personne normale !*

Puis, il vit son expression, et toute sa fierté s'évapora pour faire place à l'inquiétude. Riley fronçait les sourcils et mordillait sa lèvre. Il n'avait jamais vu cette expression sur son visage auparavant. Est-ce que c'était… *de la nervosité* ? Sûrement pas ! Cette fille était un *modèle* de détermination !

Justin avança vers elle en fronçant les sourcils à son tour.

— Est-ce que ça va ?

— Oh…

Riley repoussa les cheveux de son visage et lui fit un sourire peu convaincant sans croiser son regard.

— Je vais bien. Et toi ?

— Tu n'as pas l'air bien, dit fermement Justin.

Il arrêta à un pas d'elle et attendit qu'elle le regarde.

— Qu'est-ce qui ne va pas ?

Elle haussa les épaules et lâcha un soupir.

— Rien. Et les essais, ça a été ?

Justin fit un large sourire en s'empêchant de se pavaner fièrement.

— Je suis officiellement le nouveau porteur de ballon de l'école secondaire Pine Wood.

— C'est génial, Justin. Tu le mérites vraiment.

Mais son sourire s'évapora rapidement.

— Je suis moi-même en route vers des essais.

— Des essais ? Quels… ? Hé !

Avant que Justin puisse finir sa question, il entendit un jappement aigu et bien trop familier près de lui.

Oh non…

C'était Poochy, le chihuahua de son voisin. Il s'était sûrement encore enfui. Minuscule et soyeux, Poochy était sans aucun doute la bestiole à quatre pattes la plus mignonne de toutes, mais il avait un cerveau de la taille d'un pois… et ça faisait des années qu'il était obsédé par Justin.

— Je dois y aller !

Justin se retourna pour descendre le reste des marches en courant, mais il en avait déjà trop demandé à son corps endolori. Les muscles de ses jambes, qui l'avaient supporté pendant cette séance d'entraînement brutale, le lâchèrent complètement.

Son pied glissa sur le bord de la marche, et il commença à tomber.

Poochy atterrit sur lui avec un petit jappement de joie et lécha abondamment son visage avec plaisir.

Alors que Justin était étendu, impuissant, sur les marches en pierre, avec Poochy qui recouvrait son visage de sa langue ruisselante, il entendit Riley éclater de rire.

— Awwww, dit-elle. Il est trop mignon.

– Adorable, accepta Justin en serrant les dents. Maintenant, pourrais-tu me l'enlever ? S'il te plaît ?

Riley ramassa Poochy dans ses bras et se mit à roucouler tout en riant.

– C'est qui le gros pitou effrayant ? Est-ce que c'est toi ? Oui, c'est toi ! Tu as piégé ce gros porteur de ballon si brave, n'est-ce pas ?

Justin ravala un gémissement alors qu'il se relevait.

Je ne peux pas croire que je viens de me faire battre par un chien minuscule. Et devant Riley, en plus !

Daniel commençait enfin à se détendre alors qu'il conduisait Debi vers le gymnase. Après le désastre de l'offre de composition de chanson – ou de sortie –, tout s'était bien passé. Il avait réussi à faire parler Debi de ses amis à Franklin Grove, et les histoires qu'elle lui avait racontées étaient vraiment drôles.

Alors que Daniel s'enivrait du rire de Debi, il se rendit compte qu'elle n'était pas seulement jolie et drôle, mais qu'elle était aussi vraiment gentille. Et d'après les regards obliques qu'elle lui lançait, elle semblait penser qu'il n'était pas si mal non plus. Il avait peut-être une chance, alors !

Leurs regards se rencontrèrent alors qu'ils marchaient, et Debi baissa les yeux et se mit à jouer avec son collier en argent. Daniel se souvint de quelque chose qu'il avait lu quelque temps auparavant.

Lorsqu'une fille joue avec ses bijoux, c'est censé vouloir dire que tu lui plais, n'est-ce pas ?

– Atchoum !

Un éternuement soudain le surprit. Il couvrit sa bouche et vit le dos de sa main trop tard.

Oh non. C'est revenu !

Ses mains étaient à nouveau recouvertes de poils.

J'espère que Debi n'a pas vu ça !

Il remit rapidement ses mains dans ses poches en combattant l'envie d'éternuer à nouveau. Il y avait un étrange bourdonnement dans sa tête.

Mais qu'est-ce que j'ai ?

– Où as-tu eu ce collier ? demanda-t-il pour se changer les idées.

Debi le relâcha avec un air gêné.

— Il appartenait à ma grand-mère. Je suis désolée. Je joue toujours avec lui sans m'en rendre compte.

— Ce n'est pas grave.

Il sourit, essayant de se concentrer malgré la sensation de bourdonnement dans sa tête qui l'étourdissait. Malheureusement, elle s'étendait à tout son corps.

— Il est beau.

— Tu trouves ?

Elle leva le pendentif et l'approcha de lui jusqu'à ce qu'il touche presque son nez.

— Regarde-le de plus près, si tu veux.

Lorsque la lueur argentée brilla dans ses yeux, Daniel tourna sa tête et éternua à nouveau.

— Désolé !

Il recula rapidement et sentit le bourdonnement diminuer.

Une minute… Est-ce que c'est le collier qui me fait ça ?

Était-ce même possible d'être allergique à l'argent ?

Mais comment ça a pu arriver ? Ne la laisse pas deviner à quel point tu es bizarre, se dit-il.

— Est-ce que tu l'enlèves, des fois ? lui demanda-t-il d'un ton nonchalant.

Il toussa.

Surprise, elle leva son regard du pendentif qu'elle était en train d'essuyer.

— Jamais, répondit-elle.

Elle écarquilla les yeux.

— Pourquoi ? Tu ne l'aimes pas ? demanda-t-elle.

— Euh…

Daniel essayait de trouver une réponse polie, mais son esprit était occupé à l'empêcher d'éternuer à nouveau. Il désigna du menton les portes doubles devant eux en gardant ses mains dans ses poches.

— Voici le gymnase.

— D'accord.

Debi soupira et lâcha le collier.

— Merci de m'y avoir amenée.

Daniel fit un sourire gêné. Il détestait l'expression distante qu'elle affichait.

Ouais. Je lui ai assurément fait de la peine.

— Bonne chance, dit-il.

— Toi aussi, lui répondit-elle doucement.

Daniel se retourna pour s'éloigner, les épaules voûtées.

— Daniel, attends ! appela-t-elle alors qu'il n'avait fait que trois pas..

— Ouais ?

Il se retourna si brusquement qu'il faillit heurter les casiers.

— J'ai presque oublié !

Elle fit une hilarante grimace absolument exagérée de *rock star* et leva les mains pour faire le signe « rock on ».

— Pour la chance !

Daniel rit et commença à sortir ses mains pour lui rendre la pareille, puis il se figea.

Il ne faut pas qu'elle voie mes mains !

Il arrêta de rire.

Je vais vraiment avoir l'air d'un crétin…

Il devait y avoir quelque chose qu'il puisse dire ou faire pour régler cette situation, mais son cerveau était figé. Il se contenta de hocher la tête.

Les mains toujours dans les airs, Debi regarda les mains de Daniel, qui étaient toujours bien cachées dans ses poches. Son sourire disparut. Pendant un instant, il vit la tristesse sur son visage, puis elle se retourna et se faufila dans le gymnase sans dire un mot.

— Aaaaaahhhhh ! gémit Daniel en se frappant la tête contre le casier le plus proche.

Maintenant, c'est sûr que je n'ai plus aucune chance. Idiot !

Il sortit ses mains de ses poches et gémit en voyant les longs ongles recourbés au bout de ses doigts.

Mais que diable lui arrivait-il ?

CHAPITRE 6

Daniel avait peine à le croire. Il allait être super en retard pour les auditions de son propre groupe. Il avait passé les dix dernières minutes caché dans une salle de classe vide en attendant que l'étrange phénomène prenne fin.

Difficile de cacher des mains poilues quand tu joues de la guitare !

Alors que le dernier poil disparaissait enfin, il frissonna.

S'il vous plaît, faites que ça n'arrive plus…

Il envoya un texto rapide à Justin en passant la porte.

J'ai eu un imprévu. Je serai en retard au Bœuf et bonjour.

Il n'avait même pas le temps d'inventer une excuse. Le petit auditorium était déjà bondé de candidats. Toutes sortes de gars occupaient les sièges : des gothiques, des BCBG, des sportifs et des intellos. La seule chose qu'ils avaient en commun était le signe «rock on» qu'ils faisaient à Daniel alors qu'il descendait l'allée principale.

Tout comme Debi.

Daniel grimaça en y repensant et leur fit le signe en retour, puis il se dépêcha de descendre l'allée pour sauter sur scène avec les membres de son groupe.

Nathan échangea un regard avec Otto, qui était assis derrière la batterie.

— Où étais-tu pendant la dernière demi-heure ? On n'est pas assez célèbres pour faire attendre les spectateurs, mon pote ! dit Nathan en parlant à voix très basse pour que les chanteurs qui attendaient ne puissent l'entendre.

— Ah… je suis désolé.

Daniel prit une grande inspiration.

— J'ai juste…

— Et qu'est-ce qui se passe avec tes cheveux ? La dernière fois que je t'ai vu, ils étaient super longs, et là, ils sont en dents de scie !

— Tu ne veux pas savoir.

Daniel prit sa guitare et passa la courroie sur son épaule. Il commença à accorder sa guitare et se sentit se détendre.

J'aimerais aussi pouvoir accorder ma vie.

Mais il n'avait pas le temps de penser à ça pour l'instant.

— Allez, dit-il en regardant la foule de gars qui les attendaient. Commençons ces auditions !

/// \\\ ///

Justin était assis sur une banquette au Bœuf et bonjour, entouré des Bêtes, lorsque son téléphone émit un bip. Il lut le message de Daniel et soupira.

Génial, se dit-il. *Maintenant, je vais devoir attendre encore plus longtemps avant d'aller m'étendre à la maison.*

Il avait de la difficulté à être enthousiaste, même si les Bêtes s'étaient rassemblées autour de lui pour blaguer et se chamailler, car chaque centimètre carré de son corps était douloureux. Il se contenta de sourire faiblement et d'éviter toute tentative de tope là.

La serveuse dut parler deux fois avant que les Bêtes ne lui prêtent attention.

— Je peux prendre vos commandes ?

— Absolument !

Kyle sourit et se pencha vers l'avant.

— Un burger. *Très* saignant. Compris ?

Elle haussa les sourcils avec un air amusé.

— Je crois bien qu'on pourra faire ça. Et les autres ?

Du premier jusqu'au dernier, ils prirent tous la même chose que Kyle, jusqu'à ce que…

— Un burger végétarien, s'il vous plaît, dit Justin.

— Ben oui !

Ed Yancey hurlait de rire en pilonnant Justin dans le dos.

— Elle est bonne, mon pote. Tope là !

Est-ce que je suis obligé ?

— Peut-être plus tard, marmonna Justin.

Il garda fermement ses mains dans ses poches.

— Donc, un autre burger extra-saignant ? demanda la serveuse d'un air maintenant blasé.

Justin sentit les yeux de toutes les autres Bêtes sur lui.

— Euh, ouais, je suppose.

— Ça m'est égal.

Elle secoua la tête de frustration et s'en alla à la prochaine banquette d'un pas lourd.

Kyle regardait maintenant Justin en fronçant les sourcils.

— Tu sais, Packer, des fois, j'te comprends pas.

— Qui, moi ?

Justin se força à sourire.

— Aucun mystère ici, mon gars.

— On va détruire les Tigres la semaine prochaine, hein, les gars ? l'interrompit Chris. On ne doit absolument pas perdre contre eux à notre premier match.

Des grondements d'approbation se firent entendre. L'équipe des Tigres venait de l'école secondaire Grover, qui était située dans la ville d'à côté. Ils étaient les adversaires les plus féroces de Pine Wood depuis toujours.

— On compte sur toi, Packer.

Kyle ne donna pas de tape sur le dos de Justin cette fois-ci, mais son regard le traversa, aussi prédateur que celui d'un loup alpha.

— On va donner une leçon à cette bande de perdants.

— Pas de problème, dit Justin d'une voix traînante. Je serai prêt.

Cependant, à l'intérieur, il était terrifié. Il devait attendre encore au moins un mois avant de devenir pleinement loup.

Qu'est-ce que je vais faire ?

Il avait arrêté son père la veille mais, aujourd'hui, il allait chercher des réponses. Il y avait sûrement quelque chose à faire pour accélérer le processus de transformation ! Peut-être que le fait de manger des burgers saignants pourrait aider son corps à se mettre en mode loup ?

Mais quand la serveuse revint avec un plateau rempli de leurs commandes, il faillit vomir.

Saignant ? On dirait que ces burgers n'ont jamais vu un gril !

Lorsqu'elle déposa son burger devant lui, il lutta contre la nausée. Une substance rouge et gluante coulait le long de la viande toute molasse. Si Justin n'avait pas été pris entre Ed et Kyle sur la banquette, il se serait sauvé en courant.

Il n'y avait aucune échappatoire, pas avec toutes les Bêtes qui engloutissaient avec plaisir leurs propres burgers tout autour de lui.

— Génial ! déclara Ed.

Sa bouche était tellement pleine que le mot sonna comme « shé-nal ! ».

— Ouais, marmonna Justin.

Il fixa son burger et ravala sa salive.

— Vraiment… génial.

— Hé, pourquoi tu ne manges pas ? demanda Chris.

Toutes les Bêtes arrêtèrent de manger pour le regarder. Justin n'arrivait plus à penser.

S'il tentait de manger son burger, il vomirait, mais après la séance d'essais qu'il venait de traverser, il avait si faim qu'il en avait mal au ventre. Son estomac grogna de façon inquiétante, et le son fit rire les Bêtes qui l'entouraient.

Voilà ! Je n'ai qu'à faire semblant que je l'ai fait exprès !

— Grrr ! dit Justin. Désolé, je n'ai pu m'empêcher de grogner. J'ai tellement envie de manger… mon burger ! Mon… burger… saignant…

Les Bêtes firent d'énormes sourires.

— Grrr ! répétèrent-ils à l'unisson. Grrrrrrrrr !

Souriant avec un brin de désespoir, Justin commença à grignoter ses frites.

Je me demande à quel point la serveuse serait furieuse si je laissais accidentellement tomber mon assiette…

/// \\\ ///

Daniel avait peine à croire qu'autant de gars s'étaient présentés pour l'audition… et que la plupart d'entre eux n'avaient aucun talent ! La foule de prétendants n'avait commencé à diminuer qu'après une bonne heure.

Daniel était sur scène, en caucus avec les autres membres du groupe pour comparer leurs notes à propos du dernier candidat. Ils étaient tous d'accord pour dire que Milo avait été le meilleur jusque-là, mais ça ne voulait pas dire grand-chose. Aucun des chanteurs qu'ils avaient entendus jusque-là ne dégageait une aura de *rock star* véritable, et Milo ne chantait que pour lui-même. Il ne portait *aucune* attention au groupe qui l'entourait.

Daniel soupira et se redressa.

— Prochain candidat ! appela-t-il.

Alors qu'il se retournait, quelqu'un s'approcha de la scène, trébucha sur la dernière marche et s'empêcha à peine de chuter.

— Attends une minute… marmonna Daniel.

Pour la première fois de l'après-midi, le chanteur n'était pas un garçon. C'était une fille. Une fille qui lui était *très* familière.

— Qu'est-ce que tu fais ici, Riley ? Les auditions pour la chorale sont dans l'auditorium principal. Enfin, elles *l'étaient*. Je crois que tu les as manquées.

— Je sais. J'arrive de là-bas. Je suis la *chef* de la chorale, tu sauras.

Riley leva les yeux au ciel ; son apparence était toujours aussi BCBG avec sa chemise blanche à boutons et sa jupe lui arrivant aux genoux.

— Et maintenant, je suis ici pour auditionner pour Dans la bergerie.

— Elle est bonne, lança Daniel avec un petit rire alors que les autres membres du groupe se mettaient à ricaner.

— Es-tu sûre que tu n'as pas mélangé *hard rock* avec le club des meilleurs élèves ? demanda Nathan.

— Ou le club des BCBG, marmonna Otto sans douceur.

Daniel se racla la gorge en voyant Riley rougir. Il fusilla les autres du regard et tenta de trouver une approche plus polie.

– Euh, les gars font juste blaguer, là, mais… ce n'est pas exactement… ton genre de truc, non ?

Riley, les mains sur les hanches, le fusilla du regard.

– Tu ne m'as pas encore entendu chanter, Daniel Packer.

Otto leva les yeux au ciel.

– Est-ce qu'on est obligés ?

Daniel grimaça. Riley n'était peut-être pas ce qu'ils recherchaient, mais elle ne méritait pas non plus d'être humiliée.

– Sois cool, mon gars. Elle a assez de cran pour auditionner. C'est pas mal rock'n'roll, ça.

Nathan haussa les épaules.

– Elle ne peut pas être pire que certains candidats qu'on a déjà entendus.

Otto hocha la tête.

– D'accord…

– Es-tu vraiment sûre, Riley ? demanda doucement Daniel.

Il connaissait Riley depuis qu'ils étaient enfants. Il ne voulait surtout pas la voir s'humilier devant les autres gars.

Riley leva encore les yeux au ciel et ne se donna même pas la peine de lui répondre. Au lieu de cela, elle regarda les autres membres du groupe.

— Connaissez-vous *Back in Black* ?

Hein ? se dit Daniel. *Qui aurait cru que Riley écoutait du AC/DC ?*

Nathan fit un grand sourire.

— J'adore cette chanson.

Otto hocha la tête et s'installa derrière la batterie.

— Cette fille a du goût.

Le groupe commença à jouer, et lorsque Riley commença à chanter, Daniel fut bouche bée, en état de choc. Sa voix riche et vibrante remplit l'auditorium. Toute sa maladresse semblait avoir disparu alors qu'elle se déplaçait sur la scène en déambulant et en bondissant tour à tour au rythme de la musique. Elle était totalement concentrée sur l'auditorium, chantant pour les spectateurs qui n'y étaient même pas.

Elle ne se contentait pas de connaître les classiques ; Riley était une bête de scène naturelle ! Confronté à une voix si puissante et à son énergie, le groupe entier rehaussa sa performance. Ils n'avaient jamais joué aussi bien auparavant.

Tous sauf Daniel. Il jouait un faux accord après l'autre. Il maudit sa maladresse et jeta un regard à ses doigts... et étouffa un gémissement.

Ses ongles étaient affreusement longs. Il était impossible de jouer correctement.

Et ses ongles n'étaient pas la seule chose qui avait changé.

— Arrête !

Otto leva une main. La voix de Riley fut le dernier son à s'estomper dans le silence.

Otto fixait Daniel.

— Qu'est-ce que t'as ? Je ne t'ai jamais entendu faire autant d'erreurs.

— Euh...

— Qu'est-ce qui se passe avec tes ongles ? demanda Riley.

Elle s'approcha de lui en fronçant les sourcils.

— Et tes mains sont très *poilues*. Ont-elles toujours...

— Je vais bien !

Daniel enfonça ses mains dans ses poches.

Pourquoi fallait-il que Riley ait des yeux de lynx ?

Son visage fourmillait de gêne, mais il réussit quand même à lui faire un signe de la tête comme s'il se maîtrisait toujours.

— Merci, Riley. C'était...

— Non, je ne blague pas, dit-elle en fixant toujours ses mains. Qu'est-ce qui se passe avec tes mains ? Je n'ai jamais remarqué...

— Riley, dit-il en l'interrompant et en désignant le microphone qu'elle tenait. Je crois qu'on en a assez entendu.

— OK.

Tout d'un coup, elle sembla se métamorphoser, comme si la gonzesse *rock* confiante devenait soudainement une fille BCBG maladroite. Ses épaules se voûtèrent de déception, mais elle sourit quand même poliment.

— Merci de m'avoir laissée tenter ma chance, les gars.

Elle ne trébucha pas en descendant les marches, mais Daniel sentit son propre équilibre vaciller alors qu'il la regardait partir.

Le groupe attendit dans le silence le plus complet jusqu'à ce que les grandes portes de l'auditorium se referment derrière elle, après quoi Nathan siffla très fort.

— Je crois qu'on a trouvé notre chanteuse.

— Je ne sais pas, mon pote, dit Otto. C'est une excellente chanteuse, et elle connaît vraiment le rock, mais… elle est… tu sais…

Otto regarda les autres et haussa les sourcils.

— Elle est une… *fille.*

— Elle a *rocké* plus que tous les gars qu'on a vus, dit Nathan.

Otto gémit.

— Si on a une chanteuse BCBG et fifille, on va finir par toujours jouer des balades cruches.

Daniel ne le croyait pas. La Riley qu'il venait de voir sur scène avait assuré, tout comme elle le faisait à chaque examen.

— Choisis Milo, dit fermement Otto.

Même si cette injustice lui faisait mal, il devait se montrer pratique. Riley était la seule à avoir remarqué le changement de ses mains. S'il la laissait intégrer le groupe, il ne pourrait jamais dissimuler son secret. Elle méritait cette place, sans aucun doute, mais…

Daniel se détestait pour ce qu'il était sur le point de dire.

— Je suis d'accord avec Otto, marmonna-t-il.

Le mensonge lui brûlait la gorge. Riley n'était pas seulement meilleure chanteuse que Milo ; elle avait un sens naturel du rock que Milo ne pourrait jamais égaler.

Si seulement elle n'était pas si observatrice !

— Eh bien, je ne suis pas d'accord...

Nathan gémit et tira ses cheveux violet et noir pour démontrer sa frustration.

— On devrait faire revenir les deux pour une deuxième audition, d'accord ? On fera une audition finale pour décider qui devrait *vraiment* faire partie du groupe.

— D'accoooord, dit Otto.

— Ça va, marmonna Daniel. OK.

Il gratta le dos d'une de ses mains — *aïe !* — et espéra que Milo s'améliore d'ici là... C'était dans son intérêt. Il ne pouvait risquer d'avoir Riley dans le groupe.

Justin lâcha un soupir de soulagement lorsqu'il vit son frère entrer dans le Bœuf et bonjour.

Alors que les Bêtes se déplaçaient pour lui faire une place, Justin fit signe à la serveuse.

– Comme d'habitude, frérot?

Il commençait déjà à se détendre lorsque la serveuse se dirigea vers eux. Chaque élément de cette fête était peut-être différent de ce qu'il avait imaginé mais, au moins, certaines choses ne changeaient jamais. Daniel mangeait un burger au poulet chaque année à sa fête depuis aussi longtemps que Justin pouvait se souvenir. C'était une tradition familiale.

– En fait…

Alors que Daniel se glissait à côté de Justin dans la banquette, il jeta un coup d'œil à la table, et ses yeux s'illuminèrent.

– Tu sais quoi? Ces burgers saignants ont l'air délicieux.

– T'es pas sérieux, là?

Justin fixa son frère.

– Tu n'aimes même pas la viande rouge.

Daniel fit un petit sourire, mais ses yeux étaient voilés.

– J'ai treize ans, aujourd'hui, et les choses ont changé.

Justin fronça les sourcils et tenta de déchiffrer l'expression de son jumeau.

— Est-ce que ça va ?

— Attends une minute.

Ed fronçait les sourcils.

— C'est ta fête aussi aujourd'hui ?

Il secoua la tête, un grand sourire s'affichant sur son visage.

— Wow ! Quelles sont les chances pour que ça arrive ?

— Ouais, marmonna Justin.

T'as jamais entendu parler de jumeaux, Ed ?

Puis, il grimaça lorsqu'il vit Ed balancer sa main massive pour faire un tope là à Daniel.

— Attends…

Mais il était trop tard. À la grande surprise de Justin, Daniel sourit et retourna le tope là. Le frère *rock star* de Justin jouait évidemment au brave pour ne pas gêner son frère devant les Bêtes.

Je lui en dois une, se dit Justin, puis il grimaça en voyant Ed se retourner pour *lui* faire un tope là à son tour !

— Désolé, mon gars, dit-il en levant son burger. Mes mains sont pleines.

— Combien de temps ça te prend pour manger un burger, mon pote ? Je suis déjà rendu au troisième !

— Il doit être glacé, là, ajouta Ed.

— C'est comme ça que j'aime ça, dit Justin en se forçant à faire un sourire impertinent.

J'espère seulement ne pas avoir à prendre une bouchée pour le leur prouver !

Daniel n'en pouvait plus d'attendre l'arrivée de son burger. La vue des autres en train de manger le faisait saliver. Si Justin ne se dépêchait pas à manger son burger, Daniel allait le lui voler.

Il n'avait jamais eu une envie aussi intense auparavant, surtout pas pour de la viande rouge. Il avait de la difficulté à attendre.

Mais qu'est-ce qui se passait avec Justin ? Alors que Daniel s'efforçait de détourner son regard du burger, il observa enfin l'épuisement que l'on pouvait voir sur le visage de son jumeau. On aurait dit que Justin avait participé à un marathon et ensuite manqué l'autobus pour se rendre chez lui.

À bien y penser, ces mots feraient de bonnes paroles de chanson.

Je ferais mieux de l'écrire avant de l'oublier, ou alors de perdre mon sang froid et de voler le burger de quelqu'un d'autre !

Daniel fouilla le sac de Justin à la recherche d'un stylo. Au lieu de cela, sa main se referma sur un petit tube. Il fronça les sourcils et le sortit.

— Du gel coiffant ?

Il cligna les yeux en regardant le tube.

— Depuis quand tu utilises du gel ?

— Euh...

Justin bougeait nerveusement alors que les Bêtes se donnaient de petits coups en riant.

— C'est une nouvelle sorte de gel, marmonna-t-il enfin. Ça empêche les cheveux de pousser trop vite.

Tout d'un coup, Daniel se foutait totalement des paroles de chanson.

— Tu me le prêtes ?

— Depuis quand *tu* mets du gel ? demanda Justin.

— Euh...

Daniel vit l'expression confuse de son frère et sentit son estomac se nouer. S'ils n'avaient pas été entourés des Bêtes, il aurait perdu la maîtrise de lui-même et lui aurait tout dit. Ils étaient jumeaux. Ils étaient censés partager leurs trucs. Et si c'était en train d'arriver à Daniel, c'était peut-être en train d'arriver à Justin aussi.

Alors que Kyle et Ed commençaient à discuter de stratégies pour le prochain match de football, Daniel baissa sa voix et parla directement dans l'oreille de Justin.

— Est-ce que quelque chose de… bizarre t'est arrivé aujourd'hui ?

Justin devint blanc comme un drap.

— Non ! Pourquoi ? Trouves-tu que j'ai changé ?

Daniel cligna les yeux.

— Non. Pourquoi ? Penses-tu que *j'ai* changé ?

— Pourquoi aurais-tu changé ?

— *Toi,* pourquoi aurais-tu changé ?

La serveuse interrompit leur conversation d'un air irrité.

— *Encore* un burger au bœuf saignant ?

— C'est pour moi ! dit Daniel.

Il engloutit le burger avant même que l'assiette soit déposée sur la table. C'était la chose la plus délicieuse qu'il ait jamais goûtée… mais à en juger par l'expression sur le visage de Justin, son jumeau n'avait jamais été si confus.

Daniel aurait aimé que ce ne soit pas également son cas.

CHAPITRE 7

Ce soir-là, Justin rencontra le regard de son jumeau par-dessus les chandelles vacillantes de leur gâteau d'anniversaire et sourit. Ça avait vraiment été l'anniversaire le plus bizarre de tous mais, à ce moment-là, ils allaient exécuter une de leurs traditions d'anniversaire les plus importantes ensemble, et tout allait bien.

Les jumeaux soufflèrent les chandelles.

— Hé !

Justin dut reculer d'un pas. L'une des chandelles que Daniel avait soufflées avait été soulevée du glaçage et avait été projetée près de lui.

— Attention !

— Désolé, marmonna Daniel.

Leur père se racla la gorge.

Oh, oh, se dit Justin. C'est l'heure du discours.

Il partagea un regard avec son frère.

Cependant, leur père souriait fièrement.

— Votre mère et moi n'avons jamais été aussi fiers de vous. Vous entamez une nouvelle étape de vos vies ; vous *changez*, mais vous devenez les hommes que vous étiez destinés à devenir. J'ai très hâte de partager cette… *nouvelle* partie de vos vies avec vous.

Justin tentait de ne pas trop gigoter. Une fois de plus, leur père ne semblait regarder que lui. Le sourire de Daniel faiblit alors qu'il observait le lien partagé entre Justin et leur père, rendu encore plus évident par l'expression manifestement fière de monsieur Packer.

J'aimerais beaucoup qu'il y ait une façon d'inclure Daniel dans tout ça, se dit tristement Justin. *Mais Papa a raison. Pourquoi lui dire quelque chose qui ne servira qu'à le faire se sentir encore plus à l'écart ?*

Leur mère se racla la gorge à son tour.

— Les gars, que diriez-vous d'ouvrir vos cadeaux *avant* de manger le gâteau, cette année ?

Il ne fallait que ça pour briser la tension.

— Ouais ! crièrent les jumeaux.

Leurs parents se rendirent à l'armoire qui se trouvait dans le coin de la pièce et ouvrirent sa porte d'un geste théâtral. Une montagne de cadeaux enveloppés attendait à l'intérieur.

— Voilà !

Leur père ramassa un gros cadeau et le lança de l'autre côté de la pièce jusqu'à Justin.

— Attrape !

Justin déchira le papier d'emballage et se retint de crier de joie. De nouvelles chaussures de football toutes luisantes étaient nichées dans la boîte, et le mot « PACKER » était brodé sur leur côté.

— C'est trop génial !

— Prêt à botter les fesses des Tigres avec ça ? demanda leur père.

— Oh que oui !

Justin enleva ses chaussures et commença à lacer les nouvelles sur-le-champ.

— Personne ne pourra me résister avec ces chaussures !

— Et pour toi, Daniel, dit leur mère, j'ai une vraie surprise.

Justin leva les yeux à temps pour voir leur mère remettre un gros paquet à son jumeau en lui faisant un grand sourire.

Disons qu'il n'est pas difficile de deviner ce qu'est son cadeau ! se dit Justin.

Daniel les suppliait de lui acheter une nouvelle guitare depuis des mois déjà, mais il fut quand même bouche bée d'émerveillement lorsqu'il retira le papier d'emballage pour révéler la guitare rouge racée.

— Vous me l'avez vraiment achetée !

Justin leva les yeux au ciel.

— Franchement ! Combien de fois m'as-tu traîné jusqu'à ce magasin de guitares ? Comme s'ils allaient vraiment t'offrir autre chose que ça !

— Chut ! dit leur mère doucement.

Elle étendit le bras et ébouriffa les cheveux de Daniel.

— Bien sûr qu'on te l'a achetée. Tu as besoin d'une très bonne guitare pour ton groupe, n'est-ce pas ?

— C'est juste…

Daniel secoua la tête, fixant toujours la guitare sur ses genoux alors que ma mère commençait à couper des tranches de leur gâteau d'anniversaire. Il caressa doucement l'une des cordes, puis leva ses yeux tout brillants vers son père.

— Est-ce que c'est de ça que Justin et toi étiez en train de parler dans le jardin, hier soir ?

Le visage de Justin brûlait.

— Euh, non… marmonna-t-il doucement.

— Ouep ! Tu as tout deviné, répondit leur père en même temps.

Oups. Justin ravala sa salive alors que Daniel les regardait l'un après l'autre.

— Le groupe ! lança Justin en prenant une assiette de gâteau et de crème glacée. Parle-nous des auditions.

— Oh…

Daniel fronça les sourcils.

— Ça s'est bien passé, je crois. Hé, devine qui a auditionné !

— Qui ?

— Riley, dit Daniel. C'est bizarre, non ?

— *Riley* ?

Daniel recracha sa bouchée de gâteau dans son assiette.

— Elle l'a vraiment fait ? Wow ! Tu dois la prendre dans le groupe !

— Eh bien…

Daniel avait l'air encore plus mal à l'aise.

— C'est que… Enfin, elle a bien fait ça, mais…

— Pas de mais, dit Justin en le désignant de sa fourchette d'un air menaçant. Prends-la. Elle va être géniale. Et si ton groupe a besoin d'aide avec quoi que ce soit, je serai heureux d'être ton mécanicien.

Daniel rit.

— Technicien, tu veux dire !

— Peu importe, dit Justin en haussant les épaules. Tu n'as qu'à demander, et je vais faire ce que tu veux.

— C'est vrai ?

Daniel plissa ses yeux. Le téléphone sonna dans le corridor, mais il ne se retourna pas.

— C'est bien la première fois que tu m'offres ça !

— Et alors ?

Justin sentit ses joues rougir. Avait-il vendu la mèche si facilement ? Il tenta d'être nonchalant alors qu'il prenait une autre bouchée de gâteau.

— Je veux juste t'encourager, dit-il la bouche pleine.

— Mmh.

Daniel semblait dangereusement pensif, même en prenant une autre bouchée de crème glacée.

— Mais tu as attendu que je dise Riley pour…

— Oh, Daniel, chantonna leur mère de la porte, où elle tenait le téléphone et faisait un sourire taquin. C'est pour toi, chéri.

Daniel se dirigea vers elle, la main tendue pour prendre le téléphone.

— C'est Debi, dit leur mère avec un sourire.

— Quoi ?!

Surpris, Daniel ouvrit sa bouche, révélant un gros morceau de crème glacée non avalé à l'intérieur.

Attends une minute, se dit Justin en se penchant vers l'avant. *Est-ce que ses dents viennent de pousser ?*

Avant qu'il ne puisse lui jeter un autre regard, Daniel saisit le téléphone des mains de leur mère et se précipita hors de la pièce.

Justin le regardait fixement, estomaqué.

Je ne l'ai jamais vu agir de manière si bizarre avant. Et ses dents… et le burger… le burger saignant… et… et…

Il avala sa bouchée et sentit la crème glacée cailler dans son ventre. S'il n'avait pas su que c'était impossible, il aurait pu penser que Daniel…

Non. Il ne peut pas… Pourrait-il être… ?

Alors que Daniel courait vers sa chambre pour avoir un peu d'intimité, son cerveau n'était qu'une masse paniquée. Est-ce que sa mère avait remarqué ses mains poilues lorsqu'il avait pris le téléphone de ses mains ? Et pourquoi Debi l'appelait-elle ? Et comment avait-elle fait pour trouver son numéro ?

En encore plus important que tout : qu'allait-il lui dire ?

Il referma la porte de sa chambre derrière lui et fixa le téléphone dans ses mains comme si c'était un serpent venimeux. Ses dents semblaient trop grandes pour sa bouche. Sa langue semblait aussi mêlée que ses pensées.

Enfin, il redressa les épaules.

Tu ne peux pas l'éviter pour toujours.

Lentement, il leva le téléphone à son oreille, sentant ses longs ongles gratter les côtés du plastique.

— Allô ?

Sa voix était un grognement sourd et rauque.

— Daniel ?

Debi semblait surprise.

— Est-ce que ça va ? Tu sembles un peu…

— Je vais bien !

Daniel grimaça et prit un ton aigu pour camoufler sa voix rauque.

— Comment vas-tu ? demanda-t-il avec une voix de fausset.

Je pense que j'ai couiné, là.

Mais ce n'était pas tout. Pendant qu'il parlait, il sentait son corps fourmiller et ses dents commencer à élancer.

Ne te transforme pas maintenant. S'il te plaît !

— Oh, je vais bien ! dit Debi d'un ton enjoué. J'appelais pour te remercier de m'avoir aidée à me rendre aux essais, cet après-midi.

— Les essais ? dit Daniel d'un ton désespéré tandis que ses ongles se transformaient en griffes. Ah. C'est vrai ! Les essais de meneuses de claque.

Les poils s'étendaient sur les bras de Daniel alors qu'il les observait, horrifié. Il tentait frénétiquement de se souvenir de quoi il était censé parler.

— Euh. Comment ça s'est passé ?

— Assez bien. Je crois bien qu'ils vont me prendre dans l'équipe.

Maintenant, le visage de Daniel fourmillait aussi.

— C'est génial, dit-il avec un brin de désespoir. Eh bien… merci de m'avoir donné des nouvelles, mais…

— Aloooors…

Elle étira le mot.

— Est-ce que je pourrais te faire les ongles ?

— Quoi ?

Daniel fixa le téléphone dans ses mains.

Comment peut-elle savoir ce qui se passe avec mes mains… ? Qu'est-ce qui se passe avec mes mains ?

— Pour te remercier, dit-elle. Je ne me vante pas, mais je suis assez bonne dans ce domaine.

Elle rit, mais elle semblait nerveuse.

— Euh…

Daniel respirait à peine alors qu'il sentait les poils s'étendre sur son visage.

— J'suis pas sûr.

Il se dirigea vers le miroir.

— T'inquiète pas, dit-elle. Les manucures peuvent être masculines, si c'est ce qui t'inquiète.

Son reflet ne lui ressemblait pas du tout. Son visage était recouvert de poils bruns. Ses oreilles avaient poussé, son nez était long, et lorsqu'il ouvrit la bouche pour regarder ses dents, il vit qu'elles étaient féroces et effilées.

Debi parlait toujours.

– Je ne te mettrai pas de vernis coloré, promis !

Daniel essaya de rire, mais ce fut plutôt un gémissement qui sortit.

Il n'était plus humain ; il était…

Un loup.

Lorsqu'elle parla à nouveau, elle semblait un peu attristée.

– C'est pas grave si tu ne veux pas. C'est juste que j'ai remarqué que tes ongles étaient pas mal longs, et j'ai pensé que tu aimerais ça.

Aimer ça ? Elle lui offrait de tenir ses mains ! Il aurait adoré cette idée s'il ne s'était pas transformé en loup devant ses propres yeux !

– Je dois y aller, marmonna-t-il dans le téléphone alors que ses ongles s'allongeaient et se recourbaient.

Il sentit les poils de son visage frotter contre le combiné.

– OK, dit-elle. Eh bien, on se verra peut-être…

— Bye.

Il raccrocha en appuyant sur la touche du téléphone avec un ongle qui ressemblait davantage à une griffe avant même qu'elle ne puisse répondre. Il se laissa tomber au sol pour former une boule.

J'aimerais que les vingt-quatre dernières heures n'aient jamais eu lieu.

Quelqu'un frappa à la porte derrière lui.

— Va-t'en ! grogna Daniel.

Il enfonça son visage encore plus fort contre ses genoux et s'aperçut que son visage était recouvert de poils, tout comme la veille. Il sentait qu'un hurlement était prêt à quitter sa gorge.

— Daniel ?

La voix de Justin était douce, mais pleine de compassion.

— Je crois savoir ce qui se passe. Mais ça va, vraiment. Si tu me laisses seulement entrer…

— Non !

Daniel leva la tête pour crier sa réponse.

— Ne fais pas…

Mais il était trop tard. La porte s'ouvrait déjà derrière lui.

Lorsque Justin entra dans la chambre à coucher, il ne pouvait voir que le dos de son frère. Daniel était assis par terre, ses bras enveloppés autour de ses jambes, et il faisait face au mur. Il ne se retourna même pas lorsque Justin entra et referma la porte.

Souviens-toi de ce que maman dit toujours, se dit Justin. *Sois délicat ! Parce que je suis pas mal sûr qu'il doit être complètement détruit en ce moment.*

— Salut, dit-il. T'aimes Debi, hein ?

Daniel gémit et enfonça sa tête entre ses genoux.

Justin grimaça.

Au diable la délicatesse.

Il grimaça et s'accroupit non loin de Daniel pour ne pas lui parler de haut.

— Est-ce que quelque chose s'est passé pendant que tu lui parlais ? demanda-t-il. Tu peux m'en parler ; ça va aller.

— Fais-moi confiance, dit Daniel d'une voix rauque qui ressemblait davantage à un grognement. Ça ne va pas aller, et je ne vais pas bien. Donc, j'ai besoin que tu me laisses seul tout de suite !

Justin mit une main sur l'épaule voûtée de son frère.

— Écoute, je sais ce qui se passe. Tu n'as pas besoin de te cacher de moi. Tu as treize ans, maintenant. C'est naturel…

— Ce qui m'arrive n'a rien de *naturel* !

Bon sang.

Justin fixait l'arrière de la tête de son frère. Les cheveux de Daniel étaient maintenant si longs qu'ils touchaient le collet de sa chemise.

Comment se fait-il qu'on n'ait pas vu ça venir ?

Au moins, Justin comprenait maintenant pourquoi rien ne s'était passé avec lui la veille. En fin de compte, ce n'était pas lui, le loup-garou de la famille !

Ça voulait dire que Daniel n'avait pas fait semblant au Bœuf et bonjour, cet après-midi-là. Le tope là d'Ed n'avait vraiment pas fait mal à Daniel… parce que Daniel avait la force d'un loup-garou. Mais il n'avait évidemment aucune idée de ce qui se passait, et ça, c'était en partie de la faute de Justin.

Il faut que j'arrange ça, se dit Justin en prenant une grande inspiration. Il gérerait le reste et ce que ça signifiait pour lui plus tard. À ce moment-là, il devait de bonnes explications à son frère.

— S'il te plaît, dit-il. Retourne-toi.

— Non, grogna Daniel.

Ses épaules étaient plus voûtées que jamais.

— N'aie pas peur de me choquer, dit doucement Justin. Je suis sérieux, je sais vraiment ce qui se passe. Peu importe ce qui se passera, tu seras toujours mon jumeau. Peu importe ce qui t'est arrivé, je suis là pour toi. Pour toujours.

Pendant un long moment, rien ne se passa, puis Daniel poussa un gros soupir.

— D'accord, frérot, chuchota-t-il. Tu l'auras voulu.

Lentement, il se retourna… et Justin vit le visage de son frère, le loup-garou.

Daniel s'efforça de demeurer immobile pour que Justin puisse voir le plein effet monstrueux. Justin n'avait pas encore l'air choqué, mais il devait sûrement se sentir complètement horrifié et dégoûté. Il ne voulait peut-être pas faire de la peine à Daniel en le lui montrant, où il était peut-être paralysé de dégoût, mais…

Une minute.

Est-ce que Justin souriait ? Non. Il riait !

Daniel était ahuri.

– C'est *pas* drôle !

– En fait, ça l'est, dit Justin en secouant la tête et en riant toujours. Si seulement tu savais…

– Fais-moi confiance, je le sais ! dit Daniel à travers des dents serrées. Regarde mon visage ! Je suis un monstre !

Puis, son estomac se noua, et il se laissa retomber sur le tapis.

– Hé ! Est-ce que c'est pour ça que tu ris ?

– Non !

Justin leva une main pour l'arrêter.

– C'est juste que… eh bien, ça explique *beaucoup* de choses.

– Ah oui ?

Daniel fronça les sourcils.

Mais qu'est-ce qu'il veut dire ?

– Pourquoi tu prends si bien tout ça ? Tu devrais être dégoûté. Ou effrayé.

– Eh bien, je ne le suis pas, dit Justin. Je vais tout te raconter, promis. Mais tout d'abord, il faut vraiment qu'on fasse monter papa.

– Non !

Daniel se redressa abruptement, pris de panique.

– Je ne veux pas que papa me voie comme ça !

Mais Justin ouvrait déjà la porte.

– Papa ! appela-t-il.

– Nooooooooooon ! cria Daniel.

Horrifié, il entendit son cri se transformer en hurlement. Leur père n'avait jamais été aussi fier de lui que de Justin. Et lorsqu'il verrait ce qui lui était arrivé, il…

Daniel ne pouvait même plus respirer lorsque leur père entra dans la chambre, suivi de leur mère. Leur père fixa immédiatement le visage poilu de Daniel, et son propre visage pâlit. Derrière lui, leur mère mit une main devant sa bouche. Ses yeux étaient écarquillés.

Maintenant ils savent tous deux que je suis un monstre, se dit Daniel en fermant les yeux.

Mais lorsqu'il les rouvrit, ses deux parents souriaient.

Ils sourient ?

Daniel se sentait aussi étourdi que si la chambre avait commencé à tourner autour de lui.

Mais qu'est-ce qui ne va pas dans cette famille ?

— Eh bien, dit leur père. Ça explique tout.

Mais pourquoi ils répètent ça ?!

Leur mère secoua la tête, et son sourire devint triste.

— Franchement, on aurait dû le deviner avant.

Ils ont toujours *pensé que j'étais un monstre ?*

Daniel posa sa tête entre ses mains et entendit ses parents s'agenouiller de chaque côté de lui.

La voix de leur père était ferme.

— Daniel, je sais que tu dois te sentir pas mal confus en ce moment, mais fais-moi confiance : c'est normal.

Danièle lâcha un petit rire sec qui lui fit mal à la gorge. Il sentit les poils de son visage frôler ses mains, et son estomac se noua.

— Comment peux-tu dire que ça, c'est normal ?

Leur père poussa un long soupir, ce qui fit bouger les cheveux de Daniel.

— C'est de ma faute. J'ai présumé que Justin serait celui qui se transformerait. Il avait toutes les caractéristiques habituelles, et ce, depuis que vous êtes bébés.

— C'est pour ça que c'est à lui que nous avons tout dit, ajouta leur mère.

Elle frotta le dos de Daniel en faisant des cercles réconfortants comme elle faisait depuis qu'il était bébé.

— Nous avions tort, et je suis vraiment désolée, chéri.

Daniel secoua la tête derrière ses mains. Sa gorge était tellement serrée que sa voix n'était pas plus forte qu'un murmure.

— Vous l'avez dit à Justin et pas à moi ?

— C'était censé être pour ton propre bien, dit leur père. Mais maintenant, je vois qu'on aurait vraiment dû te le dire. Ça a dû être une très dure journée pour toi, hein ?

Daniel ne put s'empêcher de rire.

— Tu n'as jamais si bien dit, marmonna-t-il.

— Je suis désolé, Daniel, dit leur père en serrant son épaule. Mais je veux que tu saches que toute ta famille est là pour toi.

— Nous t'aimons tous, dit fermement leur mère, et nous sommes très fiers de toi.

Daniel devait se fermer les yeux très fort pour empêcher les larmes de couler.

— Comment pouvez-vous être fiers de moi en ce moment ?

Il y eut un moment de silence, puis leur père parla.

– Baisse les mains et regarde-moi dans les yeux.

Daniel voûta ses épaules davantage et pressa ses mains encore plus fort contre son visage poilu.

– Non.

– Daniel, dit son père d'une voix sévère.

Daniel retira ses mains de son visage à contrecœur. Il leva le regard… Et il eut le souffle coupé.

Il y avait devant lui des yeux qu'il aurait reconnus n'importe où : les yeux de son père. Cependant, ils étaient entourés de grosses touffes de poils brun foncé, de longues oreilles, d'un museau et d'un visage long.

Tout comme le mien.

– Tu es… toi… aussi ? chuchota-t-il.

– Je suis un loup, lui dit son père.

Daniel avait le vertige en essayant de comprendre tout ce qui s'était passé. Quoi d'autre sa famille lui avait-elle caché durant toutes ces années ?

– Et maman ?

— Non, dit sa mère, le visage inchangé, l'expression calme. Je suis un « garou » ; un être humain.

Daniel prit un instant pour digérer tout ça, puis il fut envahi de milliers de questions et ouvrit sa bouche pour parler.

— Attends.

Son père leva une main poilue pour le faire taire. Ses griffes luisaient à la lumière du plafonnier.

— Je sais que tu dois avoir beaucoup de questions, mais ce n'est pas le moment d'entrer dans tous les détails. Ta journée a été longue, et tu as besoin de dormir. Demain soir, toi et moi irons faire le voyage de camping traditionnel père–louveteau. Et là, je vais t'enseigner la voie du loup.

La voie du loup.

Les derniers mots de son père résonnaient dans la tête de Daniel, se répétant encore et encore alors qu'il regardait ses parents quitter la chambre. Lorsqu'il fut enfin capable de refermer la bouche, il se retourna et vit que Justin le regardait d'un air surpris.

— Quelle famille, hein ? dit Justin. Je suis content de ne pas être le seul à avoir à gérer ça, maintenant.

Daniel soupira. C'était trop à absorber pour le moment.

Mais… Il fronça les sourcils soudainement en se rappelant l'après-midi au Bœuf et bonjour, ainsi que la façon dont Justin avait tout fait pour éviter de faire un tope là aux autres joueurs de football qui y étaient. Maintenant qu'il y repensait, ce gars avait fait un tope là assez fort. Ça n'avait pas fait mal à Daniel, mais…

— Est-ce que les autres joueurs de football sont des loups-garous aussi ? demanda-t-il.

— Pas toute l'équipe, dit Justin. Juste ceux qui jouent à l'attaque. Les Bêtes.

— Mais tu viens d'être accepté à l'attaque, n'est-ce pas ? demanda Daniel.

Puis, il prit une grande inspiration.

— Attends une minute. Papa pensait que tu allais être le loup-garou de la famille. Est-ce qu'*eux* aussi pensaient ça ?

— Tout le monde pensait ça, marmonna Justin.

Puis, il fit un sourire non convaincant.

— C'est drôle, hein ?

Peut-être pas.

— Est-ce qu'ils comptaient sur ça lorsqu'ils t'ont mis à l'attaque ? demanda

Daniel. Qu'est-ce que ça veut dire pour toi et pour l'équipe?

— Oublie ça, frérot, dit Justin. Une chance que je suis naturellement aussi athlétique et doué, hein?

Il sourit d'un air suffisant et leva son bras pour montrer ses muscles. Daniel leva les yeux au ciel.

Ça, c'est bien Justin!

Mais pour une fois, Daniel n'était pas sûr de la façon dont son jumeau se sentait. Est-ce qu'il tentait de faire le brave?

— Euh... Est-ce que ça te dérange de ne pas t'être transformé? demanda-t-il.

Justin sourit.

— Non. Bien sûr que non. Tout va bien.

Daniel étudia son visage.

— Es-tu sûr?

— Très sûr, insista Justin avec un hochement ferme de la tête. Il va falloir que tu me fasses confiance, frérot. Je te ferais bien un tope là pour te montrer que ça ne me dérange pas, mais en toute vérité, je ne crois pas que mes muscles pourraient y survivre.

— D'accord, dit Daniel en souriant. Je te donne une chance... parce que c'est ta fête.

— Ne pense pas que je t'en donne une juste parce que c'est la tienne!

Alors qu'ils blaguaient, discutaient et se mettaient enfin au courant de tout ce qui s'était vraiment passé lors de cette journée étrange, les épaules de Daniel se détendirent graduellement de soulagement. Oui, il était peut-être un loup-garou, et sa famille lui avait caché des secrets pendant presque toute sa vie mais, au moins, son frère était toujours de son côté.

CHAPITRE 8

Je n'ai aucun problème avec ça, se dit Justin le lendemain pour la centième fois depuis le déjeuner.

Il était à son entraînement de football, et il courait avec le ballon. Il pouvait sentir le brûlement agréable de l'effort dans ses jambes, et il baissa la tête pour pouvoir courir encore plus vite. *Tout va bien aller, maintenant que je sais ce qui se passe.*

C'est vrai qu'il avait pensé qu'il serait un loup comme son père mais, désormais, il serait un humain comme sa mère. C'était correct. Il n'y avait pas de mal à être un humain. Par exemple, Justin pourrait sortir avec une fille lors de la pleine lune sans s'inquiéter de se mettre à hurler et de devenir tout poilu.

Du moins, il *pourrait,* si jamais il réussissait à avoir assez de courage pour demander à Riley de sortir avec lui.

Il grimaça en y pensant et esquiva à peine le plongeon de Kyle. Il se faufila, le ballon bien coincé sous son bras, et se dirigea vers la ligne de toucher en ignorant les visions qu'il avait de Riley.

Pense encore plus gros qu'une simple sortie, se dit Justin. Hé, il y avait un côté encore plus positif aux nouvelles de Daniel ! Maintenant, Justin n'avait plus à attendre quoi que ce soit ! L'attente avait sans aucun doute été la pire partie des dernières journées. Donc, tout allait vraiment très bien.

Vraiment bien, se dit Justin pour la cent cinquième fois. *Il n'y a pas de mal à être un humain normal.*

Puis, Ed Yancey et deux autres Bêtes lui sautèrent dessus en même temps. L'impact le fit tomber au sol, et le choc résonna à travers tout son corps.

Sauf que tout fait mal ! se dit sombrement Justin tandis qu'il était sous la pile de Bêtes.

On entendit le sifflet de l'entraîneur.

– C'est assez pour aujourd'hui. Aux douches, les p'tits loups !

Justin étouffa un gémissement, se releva et se rendit péniblement au vestiaire. Il aperçut un éclat de cheveux roux de l'autre côté du terrain. Sa nouvelle voisine, Debi, s'entraînait avec les autres meneuses de claque. Justin lui envoya la main, mais elle ne lui rendit qu'un petit sourire tendu.

La voix de la meneuse de claque en chef, Mackenzie Barton, résonnait dans le porte-voix.

— Redresse tes épaules, Debi ! Es-tu capable de faire quelque chose comme il faut ?

Aïe. Justin détourna le regard par politesse, mais il ne put s'empêcher d'entendre Mackenzie qui continuait de crier.

— Lève tes pompons plus haut, Debi ! *Plus haut !* Tu ne m'as pas entendue ou quoi ? Et j'veux voir un sourire sur ton visage pendant que tu le fais !

Ça me surprend qu'elle ne frappe pas Mackenzie avec l'un de ses pompons, se dit Justin. *C'est sûr que ça me mettrait le sourire au visage !*

Le simple fait de vivre sur la même rue que Mackenzie pendant toutes ces années avait été affreux. Il ne pouvait s'imaginer avoir à recevoir des ordres d'elle !

En fait…

Justin hésita en s'en allant au vestiaire. Il se retourna pour regarder Debi et se demanda s'il devait rester là et attendre qu'elle finisse son entraînement. Il pourrait peut-être profiter de l'occasion pour plaider en faveur de Daniel !

C'est sûr qu'il a besoin d'aide, se dit Justin, et il sourit en pensant au désastre téléphonique de Daniel la veille.

D'accord, il y avait des avantages à n'être qu'un humain ordinaire, après tout. Au moins, parler au téléphone avec Riley ne le ferait pas se transformer en loup !

À ce moment précis, son téléphone sonna.

Oh, oh !

Son sourire disparut.

Est-ce que c'est elle qui m'appelle ? Maintenant ! ?

Justin s'affaissa de soulagement – et d'un tout petit peu de déception – lorsqu'il regarda l'écran et vit que c'était son père.

– J'ai besoin que tu fasses quelque chose pour moi, fiston, dit ce dernier lorsque Justin répondit. Pourrais-tu aller chercher la guitare de Daniel dans la salle de musique ?

— Euh… Bien sûr.

Justin fronça les sourcils. Depuis quand leur père s'intéressait-il à la musique de Daniel ?

— Pourquoi ?

— Je veux qu'il l'ait avec lui lors de notre voyage de camping, cette fin de semaine. Tu sais, pour qu'on ne fasse pas que parler de choses de loups.

Justin retint un soupir. Il avait anticipé avec plaisir ce voyage père–louveteau lorsqu'il pensait que c'était *lui* qui y participerait. C'était équitable, bien sûr. Daniel méritait ce temps seul à seul avec leur père, surtout depuis que toute cette folie lui était tombée sur la tête. Mais ça faisait quand même bizarre pour Justin de ne pas être celui qui partirait avec leur père, cette fois-ci.

Ressaisis-toi, le p'tit loup ! se dit-il en prenant mentalement la voix la plus sévère de l'entraîneur.

— D'accord, dit-il d'un ton enjoué.

— Merci, fiston. Daniel est parti au magasin pour chercher des guimauves ; il ne te verra donc pas la rapporter à la maison. Je veux que ce soit une belle surprise pour lui ce soir ; ça compensera une partie du choc qu'il a subi.

— Bonne idée.

Justin raccrocha et se sentit mieux en se rappelant ce qui comptait vraiment.

Ce voyage de camping n'était pas une gâterie pour Daniel ; c'était une leçon sur la façon de devenir un loup. Et son frère avait *vraiment* besoin d'aide à ce moment-là.

Quand il eut pris sa douche et fut passé à la salle de musique, l'entraînement de meneuses de claque avait pris fin. Justin sortait de l'école avec la guitare lorsqu'il vit Debi quitter son propre casier.

Excellent. Il avait maintenant une chance de vraiment aider son frère.

Justin fit un signe de la main.

— Hé, Debi !

Elle sourit.

— Hé ! Tu vas à la maison ?

— Ouais, dit-il en levant la guitare. Il fallait que j'aille chercher ça en premier.

Son sourire s'élargit.

— On peut aller à la maison ensemble, alors.

— Cool.

Justin lui emboîta le pas. Il essayait de ne pas grimacer sous le coup de la douleur qu'il ressentait à la suite de son entraînement de football.

Comme si elle l'avait entendu penser, Debi lui demanda :

— As-tu eu une bonne pratique ?

Justin soupira. Heureusement, elle regardait la guitare, et les bleus résultant de l'atterrissage des Bêtes sur lui étaient bien cachés sous sa chemise.

— Ah... pas pire.

— *Pas pire ?*

Elle haussa les sourcils et fit un large sourire alors qu'ils passaient par la porte principale pour se retrouver sur les larges marches à l'avant de l'école.

— Il me semble que ce n'est pas comme ça que l'on décrit habituellement *rocker,* mais bon...

Pendant un instant, il la regarda, confus. Puis, ses lèvres remuèrent, et il faillit éclater de rire. Il avait oublié que les meneuses de claque pouvaient voir l'entraînement des joueurs de football. Et si Debi voulait décrire la façon dont il avait joué cet après-midi comme *rocker,* eh bien, qui était-il pour dire le contraire ?

— C'est vrai. J'ai *rocké,* dit Justin, sautant la dernière marche en pierre comme s'il n'avait pas un seul bleu.

Il faut croire que j'étais pas mal impressionnant ! se dit Justin en atterrissant sur la passerelle du chemin principal. Son sourire s'élargit, et il commença à se pavaner.

J'ai été pris dans l'équipe, même sans aucun pouvoir de loup-garou. C'est vrai que je rocke *!*

Il se serait pavané sur tout le chemin jusqu'à la maison si une voix familière et irritante n'avait pas détruit sa bonne humeur.

— Ah, te *voilà,* Debi.

Oh, non. On va être « Mackenzienés » !

Mackenzie Barton était assise sur un banc à côté de la passerelle, les lèvres pincées alors qu'elle regardait une vidéo sur son téléphone intelligent. Justin pouvait entendre de petits cris en sortir.

— Je regarde l'entraînement d'aujourd'hui, leur dit-elle de manière hautaine en désignant la vidéo. Et ce n'est *pas* impressionnant. Debi, tu dois avoir le pas plus léger !

Et tu dois arrêter de te la jouer, se dit Justin en fronçant les sourcils.

À côté de lui, Debi se contenta de hocher la tête calmement.

— Merci, Mackenzie, dit-elle. Je vais y travailler.

Mackenzie cligna des yeux. Elle semblait à la fois surprise et contrariée.

— Eh bien. En tout cas.

— Bye, Mackenzie, dit Debi tout en douceur, et elle s'éloigna.

— Wow ! chuchota Justin en la suivant. Génial. J'aurais complètement pété les plombs si j'avais été à ta place.

Debi haussa les épaules.

— J'ai déjà eu à composer avec des filles comme Mackenzie auparavant. Ce que les méchantes détestent le plus, c'est quand leur cible ne réagit pas. Donc, je ne réagis jamais.

— Eh bien.

Justin l'étudia, impressionné, alors qu'ils parcouraient les derniers pâtés de maisons avant d'arriver chez eux.

— Bien pensé.

Debi était gentille et intelligente. Daniel avait fait un bon choix.

Voyons si je peux l'aider.

Justin tentait toujours de trouver une bonne façon de mentionner Daniel lorsqu'ils arrivèrent devant leur pâté de maisons.

Si tu veux quelqu'un qui ne réagit jamais à Mackenzie…

Non, ce n'était pas bon. Mackenzie faisait beaucoup réagir Daniel.

Sais-tu qui d'autre déteste Mackenzie... ?

Non, absolument pas. Cette liste était beaucoup trop longue !

Si tu veux quelqu'un qui sait être un vrai loup lorsque tu en as besoin...

Justin gémit lorsqu'ils arrivèrent devant la maison de Debi.

Pense vite, Packer ! Tu vas manquer de temps !

Debi pencha sa tête d'un côté et fit tourner des mèches de ses longs cheveux roux autour d'un doigt.

— Est-ce que tu veux voir ma maison ?

Il lâcha un soupir de pur soulagement.

— Ouais, ça serait génial.

Il avait sans aucun doute besoin d'un peu plus de temps.

Il n'était *vraiment pas* fait pour ce genre de chose ! C'est Daniel qui était bon avec les mots ; il composait même des paroles de chansons. Il saurait exactement quoi dire.

N'essaie pas d'être cool. Dis juste n'importe quoi ! se dit Justin.

Debi ouvrit la porte d'entrée, et ils entrèrent dans un salon lumineux et ensoleillé avec de grandes fenêtres. Il y avait des boîtes empilées dans un coin à côté d'un canapé bleu pâle et d'une grande lampe.

— C'est beau, dit Justin.

— Mais pas exactement le genre d'endroit qui t'inspirerait, n'est-ce pas ?

Elle lui lança un regard taquin.

— En me fiant à tes goûts, j'imagine que tu dois préférer un environnement plus sombre.

— Euh…

Justin hésita, déstabilisé.

Mes goûts ? De quoi parle-t-elle ?

Puis, il se ressaisit.

Ça n'a rien à voir avec moi.

— Tu sais, dit-il fermement, Daniel est un gars vraiment génial.

Débit lâcha un petit rire surpris.

— Mmh… ouais. Et modeste, aussi, hein ?

— Oui ! dit Justin. Il est super modeste. Daniel ne te dirait jamais ça, mais il est bon dans plusieurs domaines, pas juste la musique. Et…

— *Et* il aime parler de lui-même à la troisième personne, dit Debi avec la trace d'un rire dans sa voix.

Elle prit la guitare avec un petit sourire, comme si elle allait pouffer de rire d'une minute à l'autre. Lorsqu'elle la déposa, elle ouvrit une petite trousse en cuir qui était sur la table basse.

Justin cligna des yeux.

Hein ? Je n'ai jamais remarqué que Daniel parlait de lui-même à la troisième personne.

Puis, il grimaça en comprenant ce qui était sûrement arrivé.

S'il a fait ça pendant qu'ils parlaient au téléphone hier soir, ça doit s'être encore plus mal passé que ce que je pensais ! Il faut vraiment que je le sorte de cette embrouille.

– Il y a quelque chose que tu dois savoir à propos de Daniel, commença-t-il. Il… Hé !

Il lâcha un petit cri lorsque Debi prit sa main et commença à limer ses ongles.

– Qu'est-ce que tu fais ?

Debi laissa tomber sa main avec une expression de surprise.

– C'est juste une manucure, dit-elle. On en a parlé hier soir au téléphone, tu te souviens ?

Justin la regardait fixement. Elle et Daniel avaient parlé de faire les ongles de Justin ?

Franchement, frérot !

Elle reprit sa main et secoua la tête.

— Une chance que tu as déjà coupé tes ongles, dit-elle. Je ne sais pas comment tu faisais pour jouer de la guitare avec des ongles si longs…

— Je jouais… ? Oh. *Oh !*

Justin était bouche bée.

Elle pense que je suis Daniel ! Pourquoi penserait-elle ça ?

Puis, son regard se posa sur la guitare, et il comprit. Mais oui ! Debi l'avait vu transporter la guitare, et puisque les deux étaient identiques, elle avait présumé qu'il était Daniel. *Désastre* !

— Ne t'inquiète pas, dit Debi. Ça ne fera pas du tout mal, promis.

Elle se pencha sur ses ongles en fredonnant, et Justin ferma les yeux, en proie au désespoir.

Si jamais les Bêtes découvrent que je me suis fait faire les ongles, je suis foutu.

Mais il ne pouvait reculer. Debi avait passé les vingt dernières minutes à croire qu'il était Daniel. S'il lui disait la vérité maintenant, elle serait si gênée qu'elle pourrait ne plus jamais adresser la parole aux garçons Packer. Daniel le massacrerait si jamais ça arrivait.

D'accord. Dans ce cas, je vais agir comme le ferait Daniel.

Justin prit une grande inspiration.

Ça ne peut pas être si difficile que ça, n'est-ce pas ?

— Parle-moi de ton groupe, demanda Debi d'un ton enthousiaste alors qu'elle s'attaquait au deuxième ongle.

— Mon groupe…

Justin ravala sa salive.

Elle ricana.

— Tu peux continuer à parler à la troisième personne, si tu veux. C'est drôle.

— Ha, oui.

Justin avala de nouveau. Au moins, ce serait plus facile.

— Le groupe de Daniel, dit-il. Eh bien, tu sais, le groupe de Daniel va être super. Ils s'appellent…

Oh, oh…

C'était *quoi,* le nom du groupe de Daniel ? Peau de mouton ? Grange de mouton ? Les Bergers ?

Je n'arrive pas à croire que j'ai oublié. Il parle de son groupe sans arrêt !

S'il n'était pas en train de subir une manucure non planifiée à la place de

Daniel, Justin se serait dit qu'il était le pire frère au monde.

Mais finalement, Justin vit la bouteille de vernis transparent dans la trousse à manucure de Debi et grimaça.

Après tout ça, Daniel et moi sommes assurément quittes.

Daniel faisait ses devoirs de mathématiques dans la cuisine lorsqu'il entendit son frère enfin arriver de l'école.

Je ne peux pas croire que je fais des devoirs un vendredi après-midi !

Daniel soupira en finissant de résoudre une quatrième équation. S'il avait su combien de temps ce voyage de rapprochement de loup-garou allait durer, il aurait remis le travail à dimanche, comme d'habitude… mais ils pouvaient bien ne pas revenir à la maison avant lundi matin.

Il était quand même content de mettre le travail de côté quand Justin entra dans la cuisine en agitant les mains comme s'il essayait de se dégager de quelque chose.

— L'entraînement a fini tard ? demanda Daniel.

— Pire que ça.

Justin agita ses mains vers Daniel de manière accusatoire, et ses ongles reluisaient.

— J'ai fait ça pour toi, frérot. Ne l'oublie pas !

— N'oublie pas quoi ?

Daniel saisit l'une des mains de Justin.

— Je ne vois rien… attends. As-tu verni tes ongles ?

— Debi l'a fait, merci *beaucoup*. Parce qu'elle pensait que j'étais toi !

— Quoi ?

Daniel fixa son frère.

Justin s'affala dans la chaise en face de lui avec un grand soupir.

— C'est une longue histoire, frérot. Mais n'oublie jamais : je l'ai fait pour toi.

— Fait quoi ?

L'inquiétude noua l'estomac de Daniel lorsqu'il vit l'expression de son frère.

Lorsque Justin eut fini ses explications, Daniel avait enfoui son visage dans ses bras.

— Elle a cru que *je* disais ces choses à propos de moi-même ? Elle doit penser que je suis le pire des crétins ! Est-ce qu'il va falloir que je parle de moi-même à la troisième personne à partir de maintenant ?

Justin haussa les épaules.

— Non... Non... Pas *tout le temps.*

Daniel gémit.

— Comme si elle ne pensait pas déjà que je suis bizarre !

— Ressaisis-toi, Daniel, commença Justin

Mais Daniel n'attendit pas les excuses de son frère. Il laissa ses devoirs derrière lui et quitta la pièce.

Il se foutait de savoir si ses devoirs étaient faits ou non. Au point où il était rendu, rien ne pouvait rendre son week-end plus horrible.

Daniel était presque soulagé de partir une heure plus tard. Daniel et son père arrivèrent au Point lycan en début de soirée et installèrent leur tente au beau milieu d'un bosquet de grands pins. L'arôme piquant des aiguilles de pin flottait dans l'air, et les oiseaux bruissaient dans les arbres alors que le crépuscule s'installait autour d'eux.

Son père installa le dernier piquet de tente et fit un pas vers l'arrière en souriant.

— N'est-ce pas extraordinaire que nous puissions vivre cette expérience de rapprochement père-louveteau ensemble ?

Daniel, qui installait toujours son dernier piquet, grimaça.

— Es-tu vraiment obligé de m'appeler louveteau ? marmonna-t-il.

Son père rit et ébouriffa ses cheveux.

— Tu t'y habitueras en un rien de temps. Tu n'as aucune idée du monde merveilleux dans lequel tu es sur le point d'entrer !

Daniel soupira en déposant son maillet.

Le merveilleux monde où je me transforme en animal. Mmh. Je me vois mal aimer ça !

— Je dois juste te prévenir de certaines choses.

Son père déposa un bras sur l'épaule de Daniel et l'attira pour aller s'asseoir au sol près de lui.

Des aiguilles de pin étaient parsemées tout autour d'eux, et de petites créatures se promenaient de façon inquiétante dans les arbres près d'eux alors que Daniel attendait les mises en garde de son papa.

— L'argent, dit son père. Tu vas vouloir éviter ça à partir de maintenant. Nous y sommes allergiques.

— D'accord, dit Daniel. Il fronça les sourcils en se souvenant du collier de Debi. *Ah oui, ça a du sens, maintenant.*

Donc, il n'avait pas tout imaginé. Le collier avait *vraiment* causé tous ses éternuements !

En pensant à Debi, il se souvint de ce qui s'était passé lorsqu'ils avaient parlé au téléphone, et il voûta les épaules.

— Et la transformation ? Comment je fais pour l'arrêter ?

— L'arrêter ?

Son père secoua la tête et laissa échapper un petit rire surpris.

— Mon fils, la transformation est la meilleure partie ! Tu vas apprendre à l'adorer. Et tu apprendras aussi comment la maîtriser… à la longue.

— À la longue ?

Daniel grimaça. Il sentait déjà ses ongles lui démanger, comme si la transformation allait arriver juste parce qu'ils en avaient parlé.

— Je veux la maîtriser *maintenant !*

— Eh bien, ça n'arrivera pas. À cet âge, tu vas te transformer à chaque pleine lune et quand tu deviendras émotif. Mais en vieillissant, tu apprendras à te transformer et à revenir à ta forme humaine à volonté.

Daniel enfonça ses ongles dans la terre, comme si cela pouvait les empêcher d'allonger.

– Combien de temps est-ce que ça prendra ?

– Ça dépend, dit son père en haussant les épaules. J'avais parlé de tout ça avec Justin, donc il a eu des années pour pratiquer les exercices pour se maîtriser. Ça prendra un peu plus de temps pour toi, puisque tu n'as pas eu le temps de te préparer.

Daniel grogna.

– Donc, je serai un monstre encore plus longtemps.

Son père soupira.

– Pourquoi on ne commencerait pas par travailler tes sens spéciaux ? Parle-moi de ce que tu peux sentir en ce moment.

Daniel prit une grande inspiration. L'invasion soudaine d'arômes l'étourdit.

– Eh bien, il y a les pins, évidemment...

– Plus loin, dit son père. Est-ce que tu peux sentir le buisson de rhododendrons à un kilomètre d'ici ?

Daniel renifla plus fort. C'était comme si des milliers d'arômes se bousculaient pour essayer de l'atteindre.

— Euh… non, admit-il. Désolé.

— D'accord. Maintenant, essaie d'écouter. Dis-le-moi lorsque tu entendras miauler ce chat qui est pris dans un arbre dans la ville d'à côté.

Daniel ferma les yeux alors que la noirceur s'installait autour de leur camp, et il lutta pour repérer le son. Il était assailli par tant de sons provenant de plusieurs kilomètres à la ronde qu'il ne pouvait isoler même un ronronnement.

Il soupira et rouvrit les yeux.

— Je suis désolé, papa, dit-il en haussant les épaules. Il y a tant de choses là dehors… En isoler juste une, c'est comme tenter de trouver un médiator dans un sac de balles de tennis. J'en suis incapable.

— Eh bien, ne t'en fais pas, dit son père.

La déception passa brièvement sur son visage, mais ce fut si rapide que Daniel ne l'aurait même pas vue sans sa vision de loup.

Il y a certaines choses que je préférerais ne pas voir.

Daniel serra les dents. Décevoir son père était bien la dernière chose qu'il désirait faire. S'il devait être un monstre, un loup, pourquoi ne pouvait-il pas au moins en être un qui était impressionnant ?

Je parie que papa aurait préféré que Justin soit le loup-garou après tout.

Daniel se retourna pour que son père ne puisse pas voir son expression.

Lorsqu'il se retourna, il écarquilla les yeux.

— Hé ! Est-ce que c'est ma guitare ?

— J'ai pensé que tu serais plus à l'aise si tu l'avais, dit son père. Montre-moi donc ce que tu peux faire.

— Vraiment ?

Daniel cligna les yeux.

— Mais tu n'aimes pas mon genre de musique. Tu aimes *Le chant à la lune* et toute cette musique classique.

Son père s'étendit au sol et croisa ses mains derrière sa tête.

— Ce n'est pas parce que je suis marié à une musicienne classique que je ne peux pas apprécier le rock, surtout quand c'est mon fils qui en joue.

Wow !

Daniel secoua la tête, incrédule.

Papa essaie vraiment de se rapprocher de moi.

Il se leva rapidement.

— D'accord, dit-il. Je vais te montrer.

Il n'était peut-être pas encore un bon loup-garou, mais Daniel connaissait son *vrai* talent.

La nouvelle guitare était racée et fraîche contre sa taille dans l'air nocturne. Daniel l'accorda rapidement pendant que son père contemplait calmement le ciel bleu nuit et les étoiles qui commençaient à apparaître entre les nuages.

Puis, Daniel prit une grande inspiration et se laissa aller.

Il ne répétait pas dans sa chambre, cette fois-ci ; il jouait pour une des personnes les plus importantes du monde à ses yeux. Il montrait à son père à quel point il était devenu bon. L'air tranquille de la nuit était une scène parfaite, et son père était le seul spectateur qu'il désirait. Toute la frustration des derniers jours, chaque moment de gêne ou de peur s'envola avec la musique alors qu'il jouait de tout cœur.

Même lorsqu'il sentit sa peau commencer à lui démanger, il n'arrêta pas. Il ajusta sa prise pour utiliser ses ongles qui s'allongeaient en guise de médiators et il laissa le loup en lui venir jouer. Pour une fois, le hurlement qui sortit de sa bouche était parfait.

Le hurlement de joie de son père vint se joindre au sien. Il s'était transformé aussi ! Sa fourrure ne lui semblait plus bizarre ; c'était parfait à ce moment-là, au cœur de la nature. Une *partie* de la nature. Désormais, les deux hurlaient à l'unisson avec la musique, alors qu'une mélodie sinistrement ensorcelante émanait de la guitare de Daniel.

La musique s'était transformée en quelque chose de nouveau, quelque chose qui intégrait tous les sons que son ouïe aiguë de loup décelait dans l'air à des kilomètres. Tout ce mélange de sons se transformait en musique magnifique, nouvelle et exacte. C'était la mélodie parfaite pour aller avec les paroles qu'il avait écrites deux nuits auparavant, le soir où tout avait changé : *Fille du clair de lune.*

Pour la première fois, Daniel prit conscience de l'identité de celle pour qui il l'avait écrite, et il l'imagina en train de danser au son de la musique qu'il jouait, ses cheveux roux luisant au clair de la lune.

Bien sûr, se dit-il alors qu'il hurlait avec la musique de la nuit qui l'entourait. *C'était Debi depuis le début.*

CHAPITRE 9

Ce n'était pas la manière la plus excitante de passer un samedi, mais puisque les loups-garous de sa famille étaient partis se rapprocher au Point lycan, Justin s'en alla au magasin pour acheter des bonbons.

Lorsqu'il passa devant la maison de Debi, sa porte s'ouvrit.

— Salut, voisine !

Justin envoya la main en la refermant légèrement pour qu'elle ne puisse pas voir ses ongles.

— Hé.

Debi fit un sourire incertain, puis mordilla sa lèvre.

— Euh… désolée. Tu es quel jumeau ?

Justin rit puis fit semblant d'être insulté.

— Mais voyons, n'est-il pas évident que je suis celui qui est cool et athlétique ?

— Désolée, Justin.

Ses joues avaient rougi.

— C'est juste que c'est difficile à savoir quand tu ne portes pas ton ballon de football habituel.

Ou la guitare habituelle de Daniel, dit Justin en pensant à la confusion de la journée précédente.

Il avait dû frotter ses ongles à fond pour retirer tout le vernis clair. Puis, il les avait rongés pour s'assurer qu'aucune des Bêtes ne puisse même soupçonner qu'il savait ce qu'était la crème à cuticules.

— Ne t'en fais pas, continua-t-il. La plupart des gens ne peuvent pas nous différencier. En fait, Riley est la seule qui a toujours…

Une ombre apparut derrière Debi.

— Riley !

La voix de Justin devint soudainement aiguë lorsque Riley sortit de la maison en souriant.

— Salut, Justin.

Ne la fixe pas, se dit Justin. Mais comment pouvait-il s'en empêcher ?

Les cheveux blonds luisants de Riley formaient une queue de cheval, elle avait accroché trois stylos à encre gel dans l'encolure de sa camisole, et elle portait deux blocs de papier et un gros dossier plein à craquer de notes.

Elle était *magnifique*.

Justin recula d'un pas. Il sentait que ses joues étaient rouges.

Une chance que je ne suis pas un loup-garou.

En se fiant à la manière dont Daniel avait réagi à Debi, Justin aurait été plus poilu que l'entraîneur Johnston en ce moment s'il avait eu le gène de loup-garou !

— Est-ce que ça va, Justin ? demanda Riley en fronçant les sourcils. Tu as l'air…

— Je vais *bien* ! dit-il.

Il pesta contre lui-même lorsque sa voix se cassa et que les mots sortirent comme un caquetage indigne. Il se racla la gorge.

— Tout est cool, je veux dire.

Il fit un geste de la tête vers le dossier plein à craquer et les blocs-notes en tentant de retrouver sa confiance.

— On dirait que tu fais des plans pour conquérir le monde.

Debi lâcha un petit rire.

— Juste le monde littéraire… pour l'instant.

Riley hocha la tête, les yeux brillants.

— Nous présentons un livre ensemble. Ça va être *génial* !

Justin regarda la pile de notes.

Wow. Ce ne sont même pas de vrais devoirs. Elles font ça pour l'un des clubs.

— Est-ce que vous faites votre présentation demain ?

— Non, répondit Riley. Dans deux semaines. Mais c'est important de bien se préparer, n'est-ce pas ?

Debi sourit sans dire un mot. Justin remarqua qu'il n'y avait aucun bloc-notes dans *ses* bras. *Mmh.*

Même si sa nouvelle voisine semblait gentille, il aurait parié n'importe quoi qu'elle ne s'était pas autant investie dans ce projet que Riley.

Mais c'était exactement ce qui rendait Riley si géniale : elle s'impliquait vraiment ! Elle se souciait de tout. Elle était comme une lumière qui l'attirait. Ce qui voulait dire qu'il était… un papillon de nuit ?

Justin recula d'un autre pas, juste au cas où l'une des filles pourrait lire son expression.

Pense à autre chose ! se dit Justin.

Il vit le regard de Debi se poser sur ses ongles déchiquetés et eut un mouvement de recul.

N'oublie pas que tu n'es pas censé être celui qui lui a parlé hier.

— Hé... J'ai entendu dire que tu as été accepté dans l'équipe de meneuses de claque, dit Justin. Félicitations !

Debi leva les yeux au ciel.

— Ne laisse pas Mackenzie t'entendre dire ça ! Je suis remplaçante, pas membre de l'équipe. Mackenzie a été très claire là-dessus. Je ne ferai pas les routines à moins qu'une des filles ait besoin de se faire remplacer. Mackenzie ne veut pas que j'aie la tête trop enflée.

Elle soupira.

— Ne t'occupe pas d'elle, dit Riley en haussant les épaules. Mackenzie n'aime personne d'autre qu'elle-même.

— Je pense qu'elle ne m'aime particulièrement pas, dit Debi. C'est peut-être parce que j'habite dans son ancienne maison ?

— Fais-moi confiance. Tout le monde sauf Mackenzie est heureux du changement, dit Justin.

Il redressa les épaules.

C'est l'heure de compenser l'erreur d'hier.

— Je crois que Daniel m'a dit qu'il t'a vue hier.

Debi baissa le regard et fit un sourire mystérieux.

— Mmh, mmh.

— Savais-tu qu'il ne se sentait pas bien hier ?

— Vraiment ?

Debi le regarda fixement.

— Il n'a rien dit.

— Eh bien, s'il se comportait de manière étrange, c'était à cause de ça, dit Justin en hochant la tête fermement. Mais il va mieux, maintenant.

Et il ne parlera plus jamais de lui-même à la troisième personne, promis !

— C'est bon, dit Debi.

Cependant, elle fronça les sourcils comme si elle rejouait la conversation d'hier dans sa tête.

Justin cacha ses mains derrière son dos, craignant d'avoir oublié d'enlever du vernis par endroits.

Vite. Change-lui les idées !

— Tiens, pendant que nous parlons de Mackenzie et des meneuses de claque… Pourquoi tu ne demanderais pas à Daniel s'il pourrait créer un nouveau chant pour les meneuses de claque ? Comme ça, vous n'auriez pas à utiliser la monstruosité que Mackenzie a inventée.

— C'est vrai que ça serait bon, dit Riley. Les cris de Mackenzie sont reconnus pour être vraiment mauvais.

— Ouais, toute l'équipe sera reconnaissante, dit Justin. Et Daniel est un musicien exceptionnel. Il va te composer quelque chose de génial. Et...

Il prit son courage à deux mains et se retourna vers Riley

Sois cool, Packer ! Sois cool !

— Et si Debi est trop occupée avec ses activités de meneuse de claque, je pourrais toujours t'aider avec ta discussion... présentation... chose... de livre...

Génial.

Il ferma les yeux, mort de honte.

Maintenant, elle pense que je ne peux même pas parler correctement, et encore moins lire !

Lorsqu'il rouvrit les yeux, il aperçut les filles se faire un sourire complice. Son cœur s'alourdit.

Elles doivent toutes deux croire que je suis un idiot. Je ne peux même pas croire que j'ai demandé ça.

— Tu sais quoi ? Oublie ça, marmonna-t-il. Je suis sûr que tu ne…

— Non ! dit Riley. J'veux dire… euh…

Elle jeta un coup d'œil rapide à Debi, qui lui fit un sourire d'encouragement.

— Ça serait… ouais. Ça serait génial.

Ses joues semblaient soudainement plus roses qu'avant.

— D'accord, dit Justin nonchalamment. Cool.

Il fit un grand effort pour s'empêcher de lever le poing en l'air en geste de victoire.

TOUCHÉ !

Il allait travailler sur un projet avec Riley !

Alors qu'il se retournait pour s'en aller chez le marchand de bonbons, il dut s'empêcher de se pavaner. C'était presque… comme si… il venait de lui demander de sortir avec lui !

Alors qu'ils revenaient en ville dimanche soir, Daniel entendit son père fredonner une chanson familière. Ses lèvres formèrent un sourire lorsqu'il reconnut la mélodie.

Son père avait fredonné *Fille du clair de lune* toute la fin de semaine. Il avait même aidé Daniel à la raffiner par endroits pour qu'elle sonne mieux. Daniel fit un large sourire alors que son père prenait le dernier virage pour arriver sur leur rue, toujours en fredonnant.

Son père lui avait appris beaucoup de choses sur le fait d'être un loup pendant la fin de semaine, mais Daniel était pas mal certain que son père avait appris beaucoup de choses à son sujet aussi.

Alors qu'il garait la voiture devant leur maison, ce dernier fit un petit sourire à Daniel.

– Ne te retourne pas, fiston. La fille du clair de lune est de l'autre côté de la rue !

– Quoi ?

Daniel se redressa brusquement, sa confiance fondant comme neige au soleil.

Son père avait raison. Debi était assise devant sa maison et lisait un livre. Il ne pourrait sortir de la voiture sans qu'elle le voie ! Daniel poussa un petit cri d'horreur qui sonna comme celui d'un loup.

– Respire ! dit fermement son père. Respire…

Daniel prit une grande inspiration et la relâcha. Il prit une autre inspiration et se détendit avec hésitation.

Sa peau ne lui démangeait pas. Il n'y avait aucune touffe de poils de loup sur ses mains.

Je vais peut-être pouvoir apprendre à maîtriser ça, après tout.

— Ça va ? demanda son père.

Daniel fit signe que oui en respirant toujours profondément.

— Parfait.

Son père lança un autre regard par la fenêtre, et ses lèvres se mirent à remuer.

— Ça ne me dérange vraiment pas de rentrer toutes nos choses dans la maison, si jamais tu as... *autre chose* à faire.

— Merci, papa.

Daniel prit une dernière grande inspiration et sortit de la voiture. Il resta sur le trottoir pour se préparer mentalement.

Debi n'avait pas encore levé le regard et ne l'avait pas vu ; il avait donc un moment pour faire ça comme il le fallait. Il voulait qu'elle le voie traverser la rue de manière cool lorsqu'elle lèverait le regard.

Il secoua la tête.

Ouais, bien sûr. Comme si j'allais réussir à faire ça.

Après toutes les fois où il avait fait l'imbécile devant elle, il serait chanceux de ne pas trébucher et tomber en pleine face pendant qu'elle le regardait !

Il faut juste que je n'aie pas l'air trop idiot, se dit-il.

Daniel regarda la rue entre sa maison et celle de Debi. Elle lui fit tout à coup penser aux douves d'un château, voire à un océan énorme et infranchissable.

Ça serait peut-être plus sécuritaire de juste traverser la rue de façon normale, *cette fois-ci.*

Il mit un pied hors du trottoir, puis il fit un bond vers l'arrière.

Mais quelle est ma façon normale de marcher ?

— Daniel ?

Debi avait levé le regard de son livre et l'observait.

— Est-ce que tout va bien ?

Daniel grimaça.

— Absolument.

Il traversa la rue et réussit à ne pas trébucher en marchant.

— Et toi, comment ça va ?

— Oh, ça va bien !

Elle sourit et donna une petite tape sur le porche à côté d'elle en faisant une place pour qu'il puisse s'asseoir.

– Je lis ce livre pour le club de lecture de Riley.

Daniel s'assit en faisant attention de ne pas la frôler. Être si près d'elle faisait fourmiller sa peau, mais il pouvait encore se maîtriser.

Respire… respire…

Il s'efforça à regarder la couverture de son livre au lieu de fixer ses cheveux, qui frôlaient son épaule.

– Je n'ai jamais entendu parler de *Comte Vira*.

Elle haussa les épaules.

– J'ai décidé de l'essayer, puisque tout le monde à Franklin Grove semblait vraiment aimer cette série. C'est bon, mais ce n'est pas vraiment mon truc.

Elle leva le regard vers lui, ses yeux bleus si frappants qu'il en avait le souffle coupé.

– Et toi ? Quelle sorte de livres aimes-tu lire ?

– Euh…

Daniel hésita. Est-ce que les bandes dessinées comptaient ? Elles *devraient* compter… Mais si jamais Debi n'était pas du même avis ? Est-ce qu'elle penserait qu'il était stupide ? Mais d'un autre côté, si elle pensait qu'elles comptaient, ça la rendrait encore plus cool !

Mais bon…

Pour une fois, il fut soulagé d'être interrompu par Mackenzie Barton. Elle venait d'arriver sur leur rue en patin à roues alignées et se dirigeait droit vers eux, vêtue de son uniforme de meneuse de claque et fronçant les sourcils intensément.

– Oh non, marmonna Debi.

Puis, elle fit un sourire poli et lui envoya la main.

– Salut, Mackenzie ! Je peux t'aider avec quelque chose ?

Mackenzie s'arrêta abruptement devant la maison de Debi et la regarda avec un dégoût flagrant.

– Es-tu en train de *lire* ? demanda-t-elle.

– Euh…

Debi regarda le livre qu'elle tenait dans ses mains et haussa les sourcils.

– Oui, je lisais.

– Et en quoi penses-tu que ça va t'aider ? Nous avons un match demain… et tu *lis* ?

Mackenzie lâcha un petit grognement.

– Pfffff ! Tu peux bien avoir les pieds lourds.

Elle se retourna brusquement et s'éloigna en patinant, les mains sur les hanches, toujours en marmonnant.

Daniel dut se concentrer au maximum pour contenir le grognement qui montait dans sa poitrine et empêcher ses ongles de pousser.

Respire... Respire...

– Je suis *vraiment* content qu'elle ait déménagé, dit-il en serrant les poings pour garder la maîtrise de lui-même. Quand je pense au fait qu'elle vivait ici avant et que maintenant, on a la chance de t'avoir...

Il ravala sa salive lorsqu'il se rendit compte de ce qu'il venait de dire.

– J'veux dire...

Les yeux de Debi s'écarquillèrent. Pendant un instant, ni l'un ni l'autre ne bougea.

Est-ce que je viens de lui faire part de mes sentiments ?

Daniel avala de nouveau. Il pouvait sentir son pouls sous sa peau. Il n'arrivait plus à penser.

Puis, Debi posa une main sur son bras, et il se figea.

— Pourrais-tu m'aider avec quelque chose ? demanda-t-elle.

— Ouais ! Bien sûr. Oui ! D'accord !

Il ferma la bouche pour arrêter de parler.

Je pense bien qu'elle a compris, là !

— Parfait, dit Debi.

Elle avait levé son menton et semblait déterminée.

— Parce que là, j'en ai assez. À partir de maintenant, je ne vais plus laisser Mackenzie faire à sa tête. J'ai besoin de tes talents de compositeur.

— Mes talents de compositeur ? dit Daniel en clignant des yeux.

Elle n'a même pas encore entendu Fille du clair de lune *!*

Elle hocha la tête.

— Est-ce que tu pourrais venir à l'intérieur avec moi pour m'aider à écrire un chant ? Je veux écrire quelque chose de si bon que Mackenzie en mangera ses pompons.

— D'accord.

Daniel se leva et sentit une petite déception lorsqu'elle retira sa main de son bras.

C'était probablement mieux comme ça, par contre, parce que son visage avait commencé à fourmiller dès qu'elle avait posé sa main sur sa peau.

Il redressa ses épaules, ravala ses émotions et la suivit dans la maison.

Je peux y arriver, se dit-il. *Je n'ai qu'à l'aider dans sa lutte contre Mackenzie... sans la laisser voir le loup.*

À l'heure du dîner, le lendemain, Daniel mourait de faim. Il avait pris un gros déjeuner plein de viande, mais son estomac avait quand même grogné pendant des heures.

Même s'il voyait son frère l'approcher, il ne pouvait attendre avant de sortir son sandwich de son casier.

— Allons à la cafétéria.

Justin secoua la tête d'un air nerveux.

— Les Bêtes vont s'attendre à ce que je m'assoie avec eux, et je dois te parler seul à seul.

— D'accord.

Daniel s'accota contre son casier et sortit son premier sandwich.

— Mais je ne peux plus attendre. Parle-moi pendant que je mange.

Il se sentait faible juste en sentant l'odeur du bœuf fumé dans son sandwich. Il l'engloutit alors que Justin s'approchait de lui.

– C'est le match d'aujourd'hui ! siffla Justin. Je panique, frérot. On est censés jouer contre les Tigres après l'école, mais je ne pourrai jouer au niveau auquel toutes les Bêtes et l'entraîneur s'attendent !

– Je suis sûr que ça va bien aller.

Daniel parlait la bouche pleine, parce qu'il ne pouvait s'arrêter de manger.

Pourquoi maman m'a-t-elle fait juste deux sandwichs au lieu de cinq ?

– Écoute, continua-t-il en essuyant sa bouche avec son bras. Tu es un athlète naturel, et personne n'a découvert la vérité sur toi jusque-là, n'est-ce pas ? Les Tigres ne remarqueront pas la différence non plus.

– Peut-être… Je ne sais pas. Aaaaah !

Justin cogna sa tête contre son casier.

– Je déteste ça ! Comment j'vais faire ça sans pouvoirs de loup ?

Daniel jeta des regards à gauche et à droite pour vérifier si quelqu'un avait entendu. Heureusement, il n'y avait personne. Il pressa l'épaule de Justin en guise d'encouragement.

— Tu as juste... le trac. Maman dit que tout le monde devient nerveux avant une performance.

— Peut-être, dit Justin en soupirant. Seras-tu là pour le match ?

— J'y serai pour au moins la première moitié, dit Daniel. Ça dépend de la durée du match. Je vais peut-être devoir partir pendant la deuxième moitié pour m'occuper des auditions finales.

Justin grimaça.

— Ça va être un long match, frérot. Avec le temps que je vais passer au sol, blessé, il va y avoir pas mal de temps d'arrêt.

— Aïe.

Daniel grimaça pour montrer sa sympathie, mais c'était difficile pour lui de se concentrer, parce que son ouïe de loup super sensible captait toutes les conversations dans le corridor autour d'eux. Même s'il tentait d'écouter les inquiétudes de Justin à propos du match, il entendait des gars plus loin dans le corridor parler de l'examen de mathématiques qu'ils venaient de faire. Il entendait Riley à l'autre bout du corridor dire à une autre fille du club de lecture : « Ma cousine vient me voir cette fin de semaine, donc nous allons voir le nouveau film de Jackson Caulfield, et… »

— Frérot ? dit Justin.

Il agita une main devant les yeux de Daniel.

— Hé ! M'écoutes-tu encore ?

— Oui, oui ! dit-il.

C'est juste que j'écoute aussi tous les autres en même temps.

— Es-tu sûr ? demanda Justin en fronçant les sourcils. T'as l'air un peu…

Au même moment, Riley arriva derrière Justin.

— Riley est là, dit Daniel, et Justin fit un saut vers l'arrière en lissant rapidement ses cheveux.

— Hé, les gars !

Pour une fois, Riley ne portait que trois livres. Ses cheveux étaient relâchés sur les épaules de sa blouse BCBG à boutons. Elle lança un regard rapide à Justin, puis elle se retourna vers Daniel.

— Je voulais juste te poser une question pour les dernières auditions de cet après-midi. Y a-t-il quelque chose en particulier que je devrais savoir ?

– Rien de particulier, dit Daniel en haussant les épaules et en retirant le deuxième sandwich de son sac à dos. Tu n'as qu'à être toi-même et à chanter du mieux que tu peux.

– Je suis sûr que tu seras géniale, dit Justin.

– T'en es vraiment sûr ? dit Riley avec un sourire taquin. Comment le sais-tu ? Tu ne m'as jamais entendue chanter.

– Non, mais…

Le visage de Justin rougit soudainement.

– Je suis sûr que… J'veux dire que t'es… Tu sais…

Daniel prit une bouchée de son sandwich avec un petit sourire satisfait.

Ça lui faisait du bien de voir qu'il n'était pas le seul Packer qui devenait tout embrouillé à proximité des filles.

Mais d'après ce qu'il voyait, Justin n'avait pas à s'inquiéter. Pendant que Riley écoutait la réponse que balbutiait Justin, elle faisait nonchalamment tourner une couette de ses longs cheveux blonds luisants autour d'un de ses doigts. Daniel avait lu quelque chose à propos de ça dans l'une des revues de sa mère. L'article disait que quand une fille jouait avec ses cheveux pendant qu'elle parlait à un garçon, c'était une manière de lui faire savoir par son langage corporel qu'elle l'aimait bien.

Sans aucun doute.

Mais d'un autre côté… Daniel fronça les sourcils, s'arrêtant en milieu de bouchée pour bien y penser. Riley était toujours si maladroite et agitée que le fait qu'elle joue avec ses cheveux ne voulait peut-être rien dire. Est-ce qu'elle le faisait tout le temps, peu importe à qui elle parlait ? Il n'avait jamais remarqué qu'elle le faisait avant, mais…

Il la regarda de plus près par-dessus son sandwich.

Elle se retourna.

– Quelque chose ne va pas, Daniel ?

Mais avant qu'il puisse répondre, elle lâcha un petit rire surpris.

– Attends une minute. Est-ce que c'est du bœuf dans ton sandwich ? Je ne le crois pas. Je pensais que tu ne mangeais jamais de viande rouge.

– Euh…

Oh non. Qu'est-ce que je dois répondre ?

Daniel sentit ses dents et ses ongles commencer à pousser en réponse à sa panique.

Il ne faut pas qu'elle découvre mon secret. Qu'est-ce que je fais ?

Il entendit la voix de son père le conseiller.

Respire... Respire...

— Il se passe quelque chose, hein ?

Riley fronça les sourcils en s'approchant.

— Qu'est-ce qui ne va pas ? Tu ne te sens pas bien ?

Daniel fixa son frère et essaya de lui envoyer un message avec ses yeux. À l'aide !

— Je crois que Daniel vient de s'étouffer avec une bouchée son sandwich, dit Justin en lançant un regard insistant à son frère.

Daniel se dépêcha de commencer à tousser en se prêtant au jeu. Justin lui donna une grosse tape sur le dos, puis il s'inséra entre Riley et lui pour qu'elle ne puisse plus le voir.

— Alors, Riley, quels sont tes plans pour cette fin de semaine ?

— Moi ?

Riley cligna des yeux rapidement — ou est-ce qu'elle battait des paupières ? Daniel ne pouvait voir d'où il était.

— Je suis complètement libre. Tout le week-end. Rien de planifié du tout ! Non !

Daniel arrêta de tousser.

— Je croyais que tu allais au cinéma avec ta cousine.

Il venait de l'entendre dire ça, n'est-ce pas ?

Riley regarda derrière Justin pour voir Daniel.

— Comment as-tu su ça ? Je n'en ai parlé qu'à Malinda, et c'était il y a deux minutes.

— Euh…

Oh non ! Quelle erreur !

Daniel tentait de trouver une excuse, mais son cerveau était complètement gelé.

Respire… Respire…

Finalement, il se contenta de hausser les épaules, mais son geste ressembla plus à un frisson exagéré qu'à autre chose.

Génial.

Alors que Daniel regardait Riley s'éloigner quelques minutes plus tard, le regard rempli de soupçons, il relâcha enfin son souffle.

— Je ne peux pas la prendre dans le groupe ! siffla-t-il à Justin. Elle est beaucoup trop observatrice.

— Écoute-moi bien, frérot, dit Justin en le regardant tout en secouant la tête. N'oublie pas que j'ai laissé Debi me faire les ongles pour toi ! Tu m'en dois une, et ça veut dire que tu dois la prendre dans le groupe, quoi qu'il arrive.

Il voulait aider son frère, vraiment. Mais si jamais Riley découvrait la vérité ?

CHAPITRE 10

À la mi-temps du match d'après-midi, Justin s'affala sur l'un des bancs du vestiaire. Il ne pensait pas aux filles, aux groupes rock, ou à quoi que ce soit à part l'ampleur de sa souffrance physique. Autour de lui, ses coéquipiers, Bêtes et humains, criaient et se donnaient des coups pour se motiver en vue du prochain quart. Justin ne pouvait que laisser tout ça survoler son corps endolori et son cerveau épuisé.

À quoi bon plaisanter ? Les Tigres avaient déjà dix points d'avance sur les Loups, et Justin savait que c'était de sa faute. Il ne voyait tout simplement pas ce qu'il pourrait faire pour changer ça.

Ce n'était pas qu'il était épuisé par ses entraînements avec les bêtes, mais plutôt qu'il était complètement terrifié à l'idée de se faire ensevelir sous un tas de joueurs et de vraiment se faire mal.

— Venez, les p'tits loups.

Le sifflet de l'entraîneur se fit entendre à l'entrée du vestiaire.

— On peut y arriver. Allez-y et montrez à ces Tigres de quoi les Loups sont faits !

Alors que le reste de l'équipe courait hors du vestiaire en criant et en grognant de détermination, Justin ne pouvait même pas se convaincre de se joindre à eux. Il resta affalé sur son banc et les regarda partir.

À quoi bon ? Il n'était pas un loup. Il n'était pas vraiment censé être là. Si l'entraîneur ou l'une des autres Bêtes apprenait la vérité à son égard, il serait exclu de l'équipe.

Il pensa à toutes les années d'attente pendant lesquelles son père lui avait parlé du changement qui aurait lieu cette année-là.

Ce n'était pas censé finir comme ça.

— Justin ?

La voix de Daniel réussit enfin à percer le brouillard d'apitoiement dont Justin s'était entouré.

Justin cligna des yeux et leva le regard. Son jumeau était sûrement entré sans qu'il le remarque. Maintenant, Daniel était debout devant lui et le regardait fixement.

— Qu'est-ce que t'as ? demanda Daniel. Pourquoi t'es pas sur le terrain ? Tout le monde t'attend !

— Je sais.

Justin soupira. Il n'avait même pas la force de hausser les épaules.

— J'peux pas le faire, frérot. Je ne peux littéralement pas bouger mes jambes.

Daniel s'assit à côté de lui sur le banc et fronça les sourcils.

— Je ne sais pas grand-chose sur le football, mais je sais que les Loups ne peuvent pas gagner sans leur chasseur de ballon étoile.

Justin pouffa de rire contre son gré.

— C'est porteur de ballon, frérot. Pas chasseur de ballon.

— Tu vois ?

Daniel sourit et poussa son épaule amicalement.

— Tu connais tout sur le football. C'est pour ça qu'ils ont besoin de toi sur le terrain.

— Ce dont ils ont vraiment besoin, c'est de quelqu'un pour me remplacer, dit Justin. Quelqu'un qui a vraiment des pouvoirs de loup.

Puis, l'inspiration le frappa comme une tonne de briques. Il se redressa d'un seul coup, ignorant sa douleur.

Daniel recula.

— Je n'aime vraiment pas l'expression sur ton visage, frérot. Peu importe ce à quoi tu penses…

— C'est parfait !

Justin se dépêchait déjà à défaire les lacets de ses chaussures de football.

— Il reste pas mal de temps avant les auditions. Qui va faire la différence ? Personne !

— Non !

Daniel leva les deux mains devant lui comme un panneau d'arrêt. Son visage reflétait l'horreur qu'il ressentait.

— Oublie ça, dit-il. Justin, c'est fou. Fais-moi confiance. Je me fous de ce que tu vas dire, tu ne me convaincras pas cette fois-ci !

Je ne peux pas croire que j'ai laissé Justin me convaincre !

Alors que Daniel attrapait le ballon pour la première fois, il entendit des cris d'approbation de la foule dans le stade de football et fixa le ballon dans ses mains, incrédule.

Les chaussures de football de son frère étaient lourdes et gênantes sur ses pieds, et la sensation de l'uniforme rembourré était étrange sur ses épaules. Pire encore, tout avait l'air bizarre et difforme à travers les barres du casque de football.

Ce n'est vraiment pas ma place.

Mais en se disant ça, Daniel se souvint de l'expression misérable sur le visage de son frère. Il n'avait jamais vu Justin si défait.

Je peux le faire, se dit-il. *Pour mon jumeau.*

De plus, Justin lui avait absolument promis que tout ce qu'il avait à faire était de courir en évitant de se faire frapper.

Alors que Daniel se préparait à courir vers l'avant avec le ballon, il entendit un son familier à travers le bruit de la foule :

« Les Loups sont forts ! On est premiers ! On va grogner, et on va gagner ! »

C'était le cri qu'il avait composé avec Debi. Debi était là avec les autres meneuses de claque, les encourageant, et le nouveau cri était tellement plus entraînant que les chants usuels de Mackenzie que tout le monde dans les estrades se mit à le chanter aussi.

Le son eut l'effet d'une piqûre d'adrénaline directement dans les veines de Daniel.

Je suis un loup-garou. Et je peux le faire !

Il grogna d'excitation et décolla. Alors qu'il chargeait à travers les membres de l'équipe adverse, avant de tomber à la ligne de vingt verges, il s'aperçut quelque chose : il était vraiment bon ! C'était la première fois qu'il faisait quelque chose qui demandait vraiment qu'il utilise ses pouvoirs de loup-garou, et c'était amusant !

Kyle Hunter demanda un temps d'arrêt. Daniel retourna les tope là des Bêtes avec plaisir, heureux d'être avec d'autres gars comme lui.

Malheureusement, ses pouvoirs de loup-garou ne lui permettaient pas de déchiffrer les jeux de football.

— Trente-quatre ! Soixante-huit ! Vingt-neuf ! Dakota ! hurla Kyle.

Peu importe ce que ça veut dire…

Daniel fit de son mieux pour suivre les jeux, mais quelques minutes plus tard, Kyle lui fit signe.

— C'est à toi, Packer, cria Kyle. C'est une tradition à Pine Wood. Les p'tits nouveaux ont le droit de demander un jeu dans la deuxième demie de leur premier match.

— Euh...

Daniel regarda fixement Kyle pendant que leurs coéquipiers attendaient avec une vive impatience.

Allez, vas-y ! se commanda-t-il. Ça ne peut pas être si difficile que ça !

— Quatre-vingt-dix-huit... Soixante-dix-huit... Cinquante... six... Et, euh... Cincinnati ?

Il y eut une longue hésitation de la part de l'équipe. Ils fixaient tous Daniel.

— C'est du génie ! hurla Kyle en approbation, et les autres Bêtes se joignirent à lui avec enthousiasme.

Daniel fit un sourire faible.

Je ne sais même pas ce que j'ai dit !

Peu importe, ça semblait fonctionner.

Un instant plus tard, il se retrouva dans un espace ouvert. Kyle avait le ballon, mais il ne pouvait le passer à l'un de ses receveurs habituels. Il fit une passe lointaine à Daniel.

Le ballon s'éleva dans les airs. Daniel sauta en hauteur en sentant la force du loup-garou propulser ses jambes. Il rit d'exaltation, tendit le bras, saisit…

… et fit éclater le ballon avec ses ongles super longs.

Oups !

— Temps d'arrêt !

L'arbitre siffla pour indiquer un temps d'arrêt étendu pendant que les organisateurs allaient chercher un nouveau ballon.

— Idiot !

Kyle s'approcha de Daniel à grands pas et donna une tape sur son casque.

— Voyons, Justin. T'as même pas pensé à couper tes ongles avant le match ?

— Euh… non, dit Daniel.

Il lança au coup d'œil à l'énorme tableau d'affichage de l'autre côté du terrain ou une horloge indiquait les secondes écoulées.

Oh, oh.

Les auditions devaient commencer dans cinq minutes.

— Donne-moi deux minutes, dit-il. Je vais courir au vestiaire pour les couper tout de suite.

Kyle soupira.

— D'accord, mais dépêche-toi ! Tu dois être revenu avant la fin de ce temps d'arrêt.

— Je le serai, promit Daniel.

Il est temps que Justin revienne au jeu.

Depuis que son jumeau était parti, Justin était assis au sol, la tête accotée contre son casier, essayant de ne pas penser à ce qui se passait sur le terrain sans lui. Mais lorsqu'il entendit le son de pas à la course, il leva le regard.

Daniel enlevait déjà le gros uniforme rembourré en plongeant vers le banc.

— C'est l'heure, frérot. Je suis censé être aux auditions *en ce moment.*

Justin soupira.

— Est-ce que le match est terminé ?

— Loin de là.

Daniel secoua la tête en retirant les chaussures de football.

— Tu ferais mieux de te dépêcher. Ils t'attendent sur le terrain, et *tout de suite.*

— Peu importe, dit Justin en s'affalant. J'abandonne, je ne suis pas un loup. Je ne peux pas…

— Arrête.

Daniel le prit par les épaules.

— Regarde-moi, jumeau.

Justin leva le regard à contrecœur. Daniel avait une expression intense de foi.

— Qu'est-ce que ça fait, si t'es pas un loup-garou ? demanda Daniel. T'es quand même un excellent joueur de football. Nous le savons tous les deux !

— Mais j'étais censé être un loup ! Ils s'attendaient tous…

— Oublie ça, dit Daniel. Te souviens-tu de ce que tu m'as dit la semaine passée ?

Il secoua Justin par les épaules.

— *Tu* es le roi du football ! Tu te souviens ?

Justin eut un serrement à la poitrine.

— Mais…

— Est-ce que je t'ai déjà menti ? demanda Daniel.

— Jamais, répondit Justin.

C'est lui qui avait eu à cacher le secret de leur famille à son frère, mais Daniel ne lui avait jamais menti.

— Donc, tu sais que ce que je te dis c'est la vérité. Tu peux le faire !

Justin prit une grande inspiration, et la confiance de son jumeau l'envahit.

— Je peux le faire, dit-il. Je peux encore jouer au football.

— Tu sais que tu peux le faire, dit Daniel.

Il lui remit les chaussures de football, et Justin vit son nom inscrit en grosses lettres : PACKER.

Elles lui appartenaient, et ce jeu aussi lui appartenait.

Justin enfila les chaussures et retourna sur le terrain.

Daniel arriva à toute allure dans le corridor juste à temps. Milo et Riley attendaient tous deux à l'extérieur de l'auditorium pour leur audition finale. Daniel pouvait entendre les autres membres du groupe s'échauffer à l'intérieur.

— Hé, salut.

Il emmena les deux chanteurs dans l'auditorium, sortant sa guitare de son étui pendant qu'il marchait.

L'une des enseignantes de musique, mademoiselle Milanovic, passa la tête par la porte au moment où il sautait sur scène. Il y avait six ou sept membres de la chorale derrière elle.

— Est-ce qu'on peut assister à cette audition ?

— Bien sûr, dit Daniel en haussant les épaules alors qu'il commençait à accorder sa guitare. Pourquoi pas ?

Milo fronça les sourcils en montant sur la scène. Il se rendit d'un pas ferme jusqu'à Daniel.

— Personne ne m'avait dit qu'il y aurait des spectateurs ! Je ne suis pas prêt pour ça !

— Tu as absolument raison, dit Riley avec un sourire taquin. Imagine ! Un groupe rock qui joue devant des spectateurs ! Qui pourrait être prêt pour ça ?

Alors que l'expression de Milo devenait de plus en plus renfrognée, Daniel dut étouffer un rire.

J'avais oublié à quel point Riley peut être drôle.

Elle ne se laissait pas piler sur les pieds non plus. Elle serait parfaite pour le groupe… si seulement elle n'était pas si observatrice.

Nathan donna des partitions à Riley et à Milo tandis que Daniel finissait d'accorder sa guitare.

— Prenez un instant pour vous familiariser avec notre nouvelle chanson, demanda Nathan. Elle s'appelle *Fille du clair de lune.*

Nous allons la jouer une fois pour vous faire entendre la mélodie, et après, vous la chanterez pour votre audition.

– Quoi ? railla Milo. Vous êtes sérieux, là ? Vous pensez vraiment que je vais chanter une chanson que je connais depuis seulement cinq minutes ?

Otto cessa d'installer sa batterie pour lancer un regard cinglant à Milo, puis Nathan et lui lancèrent des regards entendus à Daniel. Le message dans leurs yeux était clair : ils trouvaient que c'était un crétin.

Daniel était embarrassé.

Allez, Milo. Tu vas me compliquer la tâche de convaincre les autres de te choisir.

– Ne t'en fais pas, dit-il. Détends-toi et fais de ton mieux. On ne s'attend pas à une performance parfaite.

– Peu importe, marmonna Milo.

Près de lui, Riley lisait les paroles. Après un instant, elle leva les yeux et regarda Daniel d'une manière entendue qui le mit mal à l'aise.

Il ravala sa salive et regarda sa guitare en espérant qu'elle n'avait pas compris que cette chanson parlait de Debi.

Puis, Otto commença à jouer un rythme enlevant à la batterie. L'heure était venue de commencer la chanson.

– Un sourire aussi brillant que les étoiles…

Le chant n'était pas le point fort de Daniel, mais il prit le rôle de chanteur principal pour cette pratique. Sa confiance était gonflée à bloc grâce à la puissance du groupe derrière lui. Les percussions d'Otto étaient comme des battements de cœur envoyant de l'énergie dans ses veines, et Nathan était complètement déchaîné à la guitare. C'était de loin la meilleure performance chantée de Daniel – surtout la section de hurlements qui mettait fin à la chanson.

– You hou ! cria Riley. Elle applaudit très fort, et les spectateurs se joignirent à elle avec enthousiasme.

Milo fixa Daniel, les yeux exorbités.

– Je croyais que c'était supposé être un groupe rock, mec. Je n'aime pas trop les chansons à l'eau de rose.

Il fit un sourire dédaigneux alors qu'il regardait la partition dans ses mains.

– Et c'est qui, cette fille du clair de lune ?

Daniel sentit son visage rougir et recula d'un pas, laissant Nathan et Otto défendre la chanson. Malheureusement, lorsqu'il détourna le regard d'Otto, il croisa celui de Riley, et son sourire était *trop* entendu.

— Ne t'en fais pas, dit Riley en interrompant la dispute. Si tu as besoin d'entendre la chanson encore, Milo, ça va me faire plaisir d'y aller en premier. Êtes-vous prêts, les gars ?

Nathan lui fit un large sourire et repoussa ses cheveux violet et noir de ses yeux.

— Oh que oui !

Otto commença à jouer, et Riley déambula jusqu'à l'avant de la scène. Il n'y avait aucun signe de sa maladresse habituelle lorsqu'elle secoua ses cheveux. Maintenant que la musique avait commencé, elle ne ressemblait plus à une fille BCBG malhabile. On aurait dit une *rock star.* C'était une transformation des plus totales, et lorsqu'elle commença à chanter avec sa voix riche, confiante et pleine de puissance, Daniel fut obligé d'admettre que Riley était en train d'assurer grave.

Riley ne se contentait pas de chanter *Fille du clair de lune*; elle l'amenait à un tout autre niveau. Sa voix faisait du groupe une véritable unité, les rendant tous meilleurs que jamais. Et lorsqu'ils arrivèrent à la fin de la chanson, la voix de Riley était en parfaite harmonie avec celle de Daniel lors des hurlements, aussi sauvage et libre que si elle avait été une louve.

Otto lança ses baguettes sur le sol avant même que la chanson soit terminée.

— Bon sang, Riley, t'as assuré !

Lorsque les étudiants-spectateurs se levèrent pour l'acclamer, Riley rit d'un air ravi. Elle fit une révérence gracieuse sans trébucher, puis elle fit signe à Milo de prendre sa place.

— C'est à ton tour.

— Génial, marmonna Milo.

Il fronça les sourcils en se plaçant devant le groupe.

Toujours gonflé à bloc par la dernière performance, Daniel encourageait mentalement Milo.

À toi de briller !

Il ne pouvait s'imaginer que quelqu'un d'autre puisse chanter *Fille du clair de lune* mieux que Riley venait de le faire, mais si Milo ne faisait pas exactement ça, il y avait un très grand risque que le plus grand secret de Daniel soit dévoilé.

Justin était rassemblé avec le reste de son équipe à la ligne de cinq verges lorsqu'il entendit le cri de l'autre côté du terrain :

« Les Loups sont forts ! On est premiers ! On va grogner, et on va gagner !

» Nous sommes féroces, jamais mauviettes ! Avec nos griffes et nos cœurs, nous vous mettrons en miettes ! »

Wow. Ça ne ressemble pas aux cris habituels de Mackenzie ! se dit Justin.

Mais s'il n'avait pas été écrit par Mackenzie, ça voulait dire que Debi l'avait fait. Elle avait été assez brave pour affronter Mackenzie après toutes ses tentatives d'intimidation.

Justin pouvait être aussi brave.

C'est exact, se dit-il alors que le cri continuait et que la foule chantait avec eux. *Qu'est-ce que ça peut bien faire si je ne suis pas un loup-garou ? Je fais partie de cette équipe.*

La seule différence entre lui et les loups était que, contrairement à eux, il avait mérité sa place dans l'équipe sans avoir des pouvoirs de loup-garou pour l'aider. Et ça le rendait encore plus génial, pas vrai ?

À ce moment-là, alors qu'il entendait les spectateurs chanter le nouveau cri aussi clairement que s'ils étaient en train de chanter juste pour lui, Justin prit une résolution.

À partir de maintenant, je me fous de ce que les autres pensent que je devrais être. Je vais leur prouver que j'ai exactement ce qu'il faut tel que je suis !

– Allez, les Loups ! aboya Kyle.

En tant que quart-arrière, c'était à lui de mener le rassemblement.

– Packer nous a menés jusqu'à la ligne de cinq verges, mais il ne reste que dix secondes à l'horloge. Nous avons besoin d'un botté de placement réussi. Si nous obtenons ces trois points, le match sera à égalité, et…

– Ce n'est pas assez bon, capitaine.

Justin secoua la tête et regarda Kyle droit dans les yeux en laissant sa propre force et sa confiance rayonner à travers son regard.

– Nous devrions essayer le touché pour gagner.

Kyle fronça les sourcils.

— Mais si jamais nous ne réussissons pas…

— Nous allons réussir, dit Justin. Nous sommes meilleurs que les Tigres, et tu le sais. Nous sommes trop bons pour accepter un match nul.

— Tu sais quoi, Packer ? Tu as raison.

Kyle fit un grand sourire et tapa Justin dans le dos.

— Ce sont des paroles de vrai lupin !

Il haussa les sourcils derrière sa visière.

— Tu veux le ballon ?

— Absolument, dit Justin.

Il était tellement gonflé d'adrénaline que quand Kyle lui fit un tope là, il ne sentit même pas la douleur. Rien ne pourrait l'atteindre, maintenant.

L'équipe se mit en place sur le terrain, et on entendit le sifflet de l'arbitre.

— Hut !

Kyle fit semblant de lancer le ballon au receveur, puis il le remit à Justin.

Je peux le faire.

Justin baissa la tête et fonça à travers la ligne de défense des Tigres avec une dernière poussée de force purement humaine. Il ne restait que trois verges, puis deux, puis une…

Justin se propulsa par-dessus la ligne et atterrit lourdement sur le sol.

– Touché ! hurla l'arbitre.

Il avait réussi !

Les coéquipiers de Justin s'empilèrent sur lui avec des cris de joie. Cette fois-ci, Justin se foutait des bleus. Il resta couché sur le terrain de football et sourit au ciel bleu au-dessus de lui.

Un coup de sifflet annonça la fin du match.

Pine Wood avait gagné. Et lui aussi !

CHAPITRE 11

Moins de vingt minutes après son arrivée à l'audition finale, Daniel quittait l'auditorium avec les membres de son groupe pour prendre une décision très difficile. Mais lorsqu'il vit Debi marchant dans le corridor, sa veste pliée sur un bras et son visage empreint de tristesse, il oublia tout sauf elle.

— Hé !

Daniel courut vers elle, laissant Otto et Nathan en arrière.

— Tu n'étais pas sur le terrain quelques instants plus tôt ? Est-ce que le match est fini ? Qu'est-ce que tu fais ici ?

Debi le fixa.

— Qu'est-ce que *tu* faisais sur le terrain ? Je pensais que tu allais te préparer pour les auditions.

Oups.

— Euh…

Daniel changea de sujet rapidement.

— Et puis, comment ça s'est passé avec le nouveau cri ?

Il s'attendait à ce que cela lui remonte le moral, mais Debi poussa un soupir malheureux.

— Trop bien.

— *Trop* bien ? répéta Daniel en secouant la tête. Qu'est-ce que ça veut dire ?

— Ça veut dire que Mackenzie m'a expulsée, dit Debi, effrondrée. Le match n'est pas fini, mais elle m'a renvoyée chez moi.

Daniel sentit un grognement monter dans sa poitrine. Il s'efforça de l'empêcher de faire surface.

— C'est clair que Mackenzie se sent menacée parce que tu es meilleure meneuse de claque qu'elle.

— Ouais, dit Debi en haussant les épaules. Sauf que ça ne m'aide pas. Peut-être qu'on n'aurait pas dû écrire ce cri.

Elle baissa le regard.

— Si seulement j'avais laissé Mackenzie faire à sa tête encore une fois…

— Absolument pas, dit Daniel. Tu mérites ta place dans l'équipe, et tu devrais te battre pour la conserver. Tu ne peux pas juste la laisser gagner !

– Peut-être pas.

Debi soupira et leva le regard vers lui, ses yeux bleus perdus.

– C'est juste… un peu difficile de m'en souvenir en ce moment.

– Viens.

Daniel s'étira pour prendre son bras, puis s'arrêta en recourbant ses doigts lorsqu'il se rendit compte que ses ongles avaient poussé à cause de sa colère.

– Hé, Riley est dans l'auditorium. Pourquoi tu n'irais pas la voir ? Otto, Nathan et moi devons délibérer.

– D'accord.

Debi hocha la tête, et un peu de son énergie habituelle sembla revenir. Elle remit sa veste. Alors qu'elle la glissait sur ses épaules, le mouvement dégagea son collier en argent de son collet.

Daniel recula brusquement.

Respire… Respire…

Il serra les dents et se souvint des leçons que son père lui avait données sur la maîtrise de soi. Peu importe ce que ça allait prendre, il ne pouvait pas encore s'humilier devant Debi !

– Daniel ?

Elle le regardait d'un air inquiet, à présent.

– Est-ce que tu…

– Je vais bien, dit-il en reculant. À tantôt.

Daniel hocha la tête et respira par le nez, puis il se tourna vers la salle où Otto et Nathan l'attendaient. L'heure était venue de prendre la décision finale et, malheureusement, il pensait que Debi n'allait pas plus aimer leur décision que lui aimait son collier en argent.

Il fallut presque une demi-heure à Daniel pour convaincre les autres de la validité de son point de vue.

– Je ne sais pas. Mais si t'es vraiment sûr, mon pote… murmura enfin Otto.

– Très sûr, dit Daniel.

Nathan se contenta de soupirer, laissant ses cheveux violet et noir retomber sur ses yeux, comme s'il ne pouvait endurer de voir ce qui allait se passer.

Ils sortirent ensemble dans le corridor et virent que tous les autres les y attendaient. Riley et Debi bavardaient ensemble tandis que Milo était un peu plus loin dans le corridor, en train de jouer à un jeu sur son téléphone intelligent. Daniel pouvait entendre tout ce que Riley disait tandis qu'elle regardait le collier en argent de Debi grâce à son ouïe super développée de loup-garou.

— Il est vraiment beau. J'aimerais bien en avoir un identique !

Aïe, se dit Daniel en se redressant. *Tu vois ? On a pris la bonne décision.*

Un collier en argent dans son propre groupe était bien la dernière chose dont il avait besoin !

Il ravala sa salive lorsque Nathan lui fit signe d'avancer. C'était ce qui était juste : il était celui qui avait obligé les autres à prendre cette décision, alors il devait en faire l'annonce.

Cependant, il entendait bien la réticence dans sa propre voix alors qu'il parlait.

— Hé, tout le monde. Nous avons enfin pris notre décision.

Riley se retourna tellement vite que ses jambes s'emmêlèrent. Debi l'attrapa avant qu'elle tombe, puis fit un pas discret sur le côté quand Milo vint s'installer à côté de Riley.

— Et puis ? demanda Milo.

Son menton était penché de manière confiante.

— Finissons-en, d'accord ? Je veux commencer à répéter.

Riley ne dit rien, mais l'expression sur son visage fit en sorte que Daniel ne pouvait prononcer les mots.

Il faut que je le fasse, se dit-il. *Et si elle demande pourquoi on a choisi Milo… je lui donnerai une bonne réponse. Ça semblera raisonnable. Il le faut.*

Mais rien de tout ça ne lui donnait l'impression d'être raisonnable lorsqu'il vit l'espoir désespéré et la peur sur le visage de Riley. Il n'avait jamais vu Riley avoir peur auparavant.

Elle voulait *vraiment* être choisie. Et lorsqu'il repensa à la façon dont elle avait agi sur la scène, se transformant totalement, il comprit pourquoi c'était si important pour elle.

Riley était peut-être la reine de l'organisation, mais ça ne voulait pas dire qu'elle avait confiance en elle-même.

Daniel la connaissait depuis la maternelle, et il connaissait le sentiment d'insécurité qui se cachait derrière son tourbillon d'activités. Elle était belle et intelligente, mais il savait combien elle était timide à l'intérieur et à quel point elle était complexée par sa grandeur. Mais lorsqu'elle était sur scène, elle était gracieuse. Posée. Elle ne trébuchait pas. C'était la première fois qu'il avait vu la *vraie* Riley déchaînée. Et maintenant, alors que Daniel la regardait, il se rendit compte qu'il ne pouvait pas dire non à la vraie Riley.

C'était peut-être stupide, et il savait qu'il y avait un risque que son secret soit exposé, mais c'était juste. Elle était la meilleure à tous points de vue. Elle méritait cette place. Il ne pouvait la lui enlever.

— Donc, dit-il en se raclant la gorge, nous avons choisi Riley. Désolé, Milo.

— Quoi ?

Milo le fixait, bouche bée, et Debi lâcha un cri de joie et sauta vers Riley pour lui faire un gros câlin.

— Qu'est-ce que tu racontes ? cria Milo. Vous ne pouvez pas la choisir au lieu de moi !

— C'est déjà fait, dit Otto en tapant Daniel dans le dos. Désolé, mec, mais elle convient mieux au groupe.

— Bienvenue dans la famille de Dans la bergerie, Riley.

Nathan lui tendit la main, et Riley la prit en souriant de bonheur alors que Debi reculait.

– C'est arrangé !

Milo leva brusquement ses mains en l'air, heurtant son téléphone intelligent contre le casier le plus près.

– Ça ne finira pas comme ça. Vous n'avez pas fini d'entendre parler de moi ! Je vais faire mon propre groupe, et nous allons vous donner une leçon. Nous allons détruire *Dans la bergerie* comme un orage de vengeance.

Il hurla de rage et s'éloigna d'un pas lourd dans le corridor.

Daniel leva les yeux au ciel alors que les autres membres du groupe riaient.

– On a vraiment fait le bon choix, dit Nathan.

– Absolument, dit Otto en hochant respectueusement la tête vers Riley. Heureux de t'avoir parmi nous, Riley.

– Moi aussi, dit Riley.

Elle rayonnait de soulagement, ses cheveux ébouriffés pour une fois à cause du gros câlin de Debi.

– Mais Daniel…

Elle le prit à part alors que les autres membres du groupe retournaient à l'auditorium.

– Pourquoi m'as-tu choisie ? Je te *connais*. Je voyais bien que t'espérais que Milo gagne.

– Je *te* connais aussi, dit Daniel, puis il soupira. Tu ne fais pas semblant, contrairement à Milo. Ces chansons sont exceptionnelles lorsque tu les chantes, parce que tu es toi-même sur la scène. C'est ta place.

Le visage de Riley s'illumina.

– T'es sérieux ?

– Absolument.

Daniel sourit et lança un regard vers Debi, qui jouait avec son collier, et il toussa.

– Euh, mais il y a une seule condition…

Riley eut l'air inquiète.

– Qu'est-ce que c'est ?

– Tu ne pourras jamais porter d'argent. Ni aux répétitions ni sur scène. OK ?

– Quoi ?

Riley le regarda fixement.

– Quelle différence ça peut bien faire ?

– Ça… clocherait sur scène.

Riley ne dit rien. Elle se contenta de le regarder comme s'il était soudainement devenu fou.

— Ça porte malchance ! dit Daniel désespérément. Je suis superstitieux à propos de l'argent. C'est stupide, hein ?

Il tenta de rire, mais ce fut plutôt un petit jappement qui sortit.

Riley le regarda en secouant la tête et en fronçant les sourcils.

— Il y a quelque chose de vraiment étrange qui se passe avec toi, Daniel Packer. Je le vois.

— Non, il n'y a rien, je te jure…

— Il y a quelque chose d'étrange, dit-elle en hochant la tête. Et je vais découvrir ce que c'est.

Avant que Daniel puisse répondre, Debi se joignit à eux. Elle haussa les sourcils en réaction aux derniers mots de Riley.

— Quelque chose d'étrange, hein ? Eh bien, faites-moi confiance ; j'ai grandi à Franklin Grove, et rien ne pourrait être plus étrange que ça !

Elle fit un autre câlin à Riley.

— Je suis vraiment contente pour toi. Et pour toi ! dit-elle en se retournant vers Daniel. Vous avez fait le bon choix. J'ai très hâte de vous voir en pleine action.

— Moi aussi… commença Daniel.

Mais il s'étouffa lorsque Debi l'entoura de ses bras.

Ce n'est qu'une manière amicale de me féliciter, se dit-il alors qu'il mettait les bras autour d'elle pour lui rendre son câlin. *Tout comme elle a fait avec Riley.*

Cependant, il ferma les yeux pour savourer la sensation. Il sentit des frissons le parcourir.

Respire… Respire…

Mais cette fois-ci, les frissons n'étaient pas une réaction à son collier ; ils étaient sans aucun doute causés par Debi.

/// \\\ ///

Le lendemain soir, Justin sortit de la maison et prit une longue et profonde inspiration satisfaite. Son papa était déjà au gril, faisant un barbecue de soirée pour souhaiter la bienvenue dans le quartier à la famille de Debi. Il y avait des steaks sur le gril pour les lupins et autres mangeurs de viande, tandis que des burgers végétariens et des brochettes cuisaient non loin de là. Daniel était à côté du gril des mangeurs de viande, déjà en train d'engloutir son premier burger alors qu'il parlait avec Debi.

Justin ne l'avait pas vu si heureux depuis un moment.

— Hé, Justin.

Une voix familière se fit entendre juste derrière lui.

— Riley !

Justin se retourna brusquement et faillit trébucher de surprise lorsqu'il vit Riley dans la maison avec un microphone sur un long support en métal dans les mains.

— Qu'est-ce que tu fais ici ? demanda-t-il.

Puis, il grimaça.

— Content de te voir, je veux dire ! Tu es ici pour le barbecue, n'est-ce pas ?

— En fait, je suis venue pour jouer avec mon groupe.

Elle fit un large sourire et indiqua son tee-shirt avec son microphone. Pour une fois, elle ne portait ni une veste ni une blouse BCBG. Au lieu de ça, elle portait un tee-shirt noir avec un logo rock familier. Un nom y était écrit en grosses lettres : DANS LA BERGERIE.

La voir porter des vêtements si différents de ce qu'elle portait aurait dû être bizarre, mais ça ne l'était pas. C'était même plutôt bien. Riley semblait heureuse et confiante, et elle était tout simplement époustouflante. En fait…

— Euh, Justin ?

Elle toussa pour le sortir de son état de transe.

— Est-ce que je peux entrer ?

— Quoi ? Oh ! Oui.

Justin se rendit enfin compte qu'il lui avait bloqué la porte alors qu'il restait là à la fixer.

Idiot !

— Ouais. Génial ! Entre. Sors, je veux dire, dit-il en libérant la voie. C'est génial que tu sois dans le groupe. Dans la bergerie. Euh…

Il grimaça.

Arrête de parler tout de suite ! Je t'en prie, bouche, arrête de parler !

Mais heureusement, elle souriait lorsqu'elle sortit.

— Je suis contente que tu penses ça. Au fait…

Elle rougit.

— Penses-tu que tu pourrais m'aider à installer mon microphone ? Je n'ai jamais fait ça auparavant.

— Bien sûr !

Justin se gonfla la poitrine et la mena de l'autre côté de la cour, où la batterie l'attendait. Alors qu'il installait le microphone, il capta le regard de Daniel de l'autre côté de la cour.

Merci, dit-il silencieusement.

Daniel le salua avec son burger, projetant au loin un morceau de laitue. Heureusement, Debi avait tourné la tête ; le morceau de laitue vola donc à côté de son oreille sans la frapper. Justin fit un sourire bête lorsqu'il vit les yeux de son frère s'écarquiller devant ce qui avait bien failli être un désastre.

Il ne savait pas ce qui avait enfin convaincu Daniel de prendre Riley dans le groupe, mais il en était plus que reconnaissant. Ils allaient devoir répéter souvent à partir de maintenant, n'est-ce pas ? Et ils auraient probablement besoin d'un mécanicien, euh, technicien, pour les aider à transporter leur équipement…

La chanteuse aurait particulièrement besoin de son aide.

— Pourquoi souris-tu ? demanda Riley.

— Oh, rien de particulier.

Justin effaça son sourire.

— J'ai juste hâte au spectacle.

— Ah oui ?

Elle mit une main sur sa hanche comme pour le défier.

— Et tu penses que tu seras vraiment capable de me voir *rocker* ? Ça ne fera pas trop bizarre pour toi ?

Justin pouffa de rire.

— Fais-moi confiance. Au point où j'en suis, *rien* n'est trop bizarre pour moi !

— Qu'est-ce que tu veux dire ?

Riley lui lança un regard interrogateur.

— Peu importe, dit Justin en souriant. J'ai très hâte de t'entendre chanter. Je sais que tu vas être géniale.

Riley sembla tout à coup nerveuse.

— J'espère que tu as raison.

— *J'ai* raison, répondit Justin.

Et il avait raison. Vingt minutes plus tard, il se tenait à côté de Debi et écoutait Dans la bergerie jouer la chanson que Daniel avait écrite avec leur papa au Point lycan pendant la fin de semaine. Justin avait immédiatement compris exactement pour qui son frère avait composé la chanson.

Des cheveux qui brillent comme le feu, hein ?

Il cacha son sourire en regardant son frère et Debi.

— Alors, Debi, lui chuchota-t-il, qu'est-ce que tu penses de la chanson ?

— Elle est fantastique !

Elle sautillait sur le bout des orteils avec enthousiasme, bougeant au rythme de la musique.

— Tout le groupe est génial, n'est-ce pas ? Et j'adore la chanson *Fille du clair de lune*. Sais-tu de qui elle parle ?

Justin haussa les épaules et prit une grosse bouchée de son burger végétarien pour s'empêcher de dévoiler des secrets.

Daniel va me tuer si je dis à Debi qu'il a le béguin pour elle.

Mais en regardant son frère se défouler sur scène, Justin se fit une promesse : il allait s'assurer que son jumeau ait tout le bonheur qu'il méritait. Après tout…

Son sourire s'élargit lorsqu'il vit Riley incliner sa tête vers l'arrière pour hurler.

Justin en devait toute une à Daniel, maintenant. Et Justin — loup-garou ou humain — serait toujours là pour son frère jumeau.

Article dans le *Post-Gazette-Enquirer* *de Pine Wood*

Riley donne la réplique !

Salut, gens de Pine Wood. C'est votre rubrique préférée du Post-Gazette-Enquirer de Pine Wood ! *(Il ne reste qu'une semaine avant le vote pour savoir si nous devrions raccourcir le nom du journal étudiant… Vous voyez ce que je veux dire ?)*

L'interview étudiante du mois, faite par moi-même, concerne les très géniaux jumeaux Packer, Daniel et Justin, et lorsque ces deux-là commencent à parler, les choses ont tendance à déraper. Voici la transcription intégrale et non censurée de l'entrevue pour votre plus grand bonheur.

Riley Carter : Êtes-vous prêts pour « Riley donne la réplique » ?

Justin Packer : Réplique ? On dirait qu'on se prépare à un combat.

Daniel Packer (*lève les mains dans les airs*) **:** J'abandonne déjà !

Riley : Non, non. Ça veut juste dire « parler ».

Justin : Dans ce cas, tu aurais pu juste dire qu'on allait parler.

Riley : Oui, mais ça serait une manière boiteuse de commencer une interview.

Justin : Ouais, tu as vraiment raison. Bien sûr que ça le serait.

Daniel (*rires*) **:** Mais expliquer la signification du mot « réplique » est une bien meilleure façon de commencer une interview.

Riley (*se racle la gorge*) **:** Bon, une nouvelle session d'école, une nouvelle année : le secondaire 3. En quoi est-ce différent du secondaire 2 ?

[Les jumeaux se regardent et semblent mal à l'aise]

Riley : Ça voulait dire quoi, ce regard ?

Daniel : Rien. Le secondaire 3 est, euh… Ça a du… mordant.

Justin : Les cours sont vraiment plus difficiles.

Daniel : Ouais, c'est ça la plus grosse différence. On doit vraiment s'attaquer à des tonnes de devoirs.

Riley : Beaucoup de changements. Justin, tu as intégré l'équipe de football, *et* tu as compté un touché contre les Tigres. Ce n'était pas génial, ça ?

Justin : C'était… bien.

Riley (*soupire*) **:** C'est tout ? Bien ? Justin, on parle de l'esprit de l'école, ici. Et à titre de chasseur de ballon étoile de l'équipe…

Daniel : *Porteur* de ballon.

Riley : Ouais, ça. Tu devrais être plus enthousiaste ! Les meneuses de claque vont avoir beaucoup de difficulté à faire des cris pour le hausseur de ballon qui n'est pas impressionné par sa propre performance.

Justin : En fait, c'est un soulagement.

Daniel (*rires*) **:** « Hausseur de ballon ». Je vais me souvenir de celle-là !

Riley : En parlant de meneuses de claque, as-tu un message pour elles ? Y en a-t-il une en particulier que tu aimerais mentionner ?

Daniel (*s'étouffe et balbutie*)

Riley et Justin : Est-ce que ça va ?

Daniel : Oui, désolé. Ce n'est rien. Je vais bien.

Justin : J'aimerais remercier toutes les meneuses de claque de soutenir l'équipe. Elles font un excellent…

Daniel : Moi aussi ! Je veux remercier les meneuses de claque aussi. Elles sont géniales. Vraiment. Je crois que certaines d'entre elles, une en particulier… Juste… merci.

Riley : D'accord, alors. Mais le reste du match ? Est-ce qu'il a été à la hauteur de tes attentes ?

Daniel : C'était dur et effrayant, par moments…

Justin : Euh, frérot…

Daniel : Euh… J'ai vraiment aimé *regarder* mon frère jouer au football. Je ne peux qu'*imaginer* comment c'était d'être sur le terrain et jouer réellement. Je n'en ai *aucune* idée, parce que je n'ai jamais joué au football. Justin, c'était comment, être *sur* le terrain ? Tu sais, puisque *tu* es celui qui a joué.

Justin : Euh… dur et… effrayant par moments… Mais j'ai vécu une vraie poussée d'adrénaline.

Riley : Daniel, est-ce que c'est là que tu as passé tout l'après-midi pendant que j'attendais patiemment pour mon audition ?

Daniel : Euh… Eh bien…

Justin : Hé, Riley, qu'est-ce que ça t'a fait d'obtenir le rôle de chanteuse dans le groupe de Daniel ?

Riley : Incroyable. Moi, c'est être sur scène qui me donne une poussée d'adrénaline. Ne pensez pas que je suis une intello totale, mais lorsque je chante, je…

Justin : Quoi ?

Riley : C'est un peu débile.

Daniel : Tu peux nous le dire.

Riley : Vous allez penser que je suis bizarre.

Daniel : Nous le pensons déjà.

Justin : Mais d'une *bonne* façon. N'est-ce pas, Daniel ?

Daniel : Oh oui, totalement. La « bonne » sorte de bizarre. Comme nous.

[Les jumeaux partagent un autre regard]

Riley : Vous devez vraiment arrêter de faire ça. Soit vous me dites vos secrets, soit vous arrêtez d'agir *furtivement* !

Justin : Désolé. Plus de regards secrets. Prochaine question.

Riley : Daniel, est-ce que tu es nerveux quand tu es sur scène ?

Daniel : Je suis terrifié. Mais puisque c'est mon rêve d'être une *rock star,* je vais devoir surmonter ma peur. Si je veux enregistrer des chansons et jouer devant des stades pleins quand je serai grand, je dois vaincre mon trac. C'est mon rêve de voyager partout dans le monde et de jouer mes chansons pour mes admirateurs. Je deviens très excité lorsque j'y pense…

Riley : Est-ce que ça va ?

Daniel : Oui, pourquoi ?

Riley : Eh bien, c'est que tu te grattes beaucoup les bras.

Daniel : Oh… Je n'avais pas remarqué. J'imagine que même l'idée de jouer dans ces gros spectacles me rend… nerveux.

Justin : Tu ne deviens pas *trop* nerveux, hein, frérot ?

Daniel (*examine ses ongles*) **:** Non, je pense que ça va aller.

Riley : Et voilà encore ce regard.

Justin : Désolé.

Riley : Et vous pensez que *je* suis bizarre ? Désolée, les gars, mais c'est tout le temps que nous avons pour cette entrevue. Ça va être génial quand elle sera publiée.

Justin : Tu devras l'éditer *soigneusement* avant de la publier dans le *Post-Enquirer-Gazette.*

Riley : *Post-Gazette-Enquirer.*

Daniel : Peu importe. Tu le promets ?

Riley : Promis.

NE MANQUEZ PAS LA SUITE

EXTRAIT DU TOME 2

AH-LOUP L'AMOUR !

Ne panique surtout pas, s'ordonna Justin Packer. *Ce n'est* pas *un rendez-vous !*

Oui, il partageait une banquette au Bœuf et bonjour avec Riley Carter. Oui, elle était la fille pour laquelle il avait un faible depuis près d'un an. Et non, il n'y avait personne d'autre à table avec eux. Mais ça ne voulait pas dire que c'était un rendez-vous *officiel*…

N'est-ce pas ?

Les amis mangent ensemble tout le temps, se dit-il. *Manger, c'est essentiel !*

Bientôt, il lui demanderait de sortir avec lui. Mais avant d'être prêt à demander à Riley d'avoir un vrai rendez-vous avec lui, il devait traiter tout ça comme un match de football. Il devait se préparer — avoir un plan de match. Il devait apprendre comment garder son calme lorsqu'il était près d'elle, même quand elle lui souriait comme elle le faisait à ce moment-là, avec son regard intense qui semblait briller à travers les longues mèches de cheveux blonds qui retombaient en désordre sur son visage. Il fallait qu'il trouve un moyen d'être plus… *suave.*

Ouais, il serait totalement suave lorsqu'il lui demanderait d'avoir un *vrai* rendez-vous avec lui… un jour. Pour l'instant, ils pouvaient demeurer amis. Il n'y avait pas de pression entre deux amis.

Justin se détendit et prit son hamburger, mais il se figea en le ramenant vers sa bouche quand il vit Riley placer ses mèches rebelles derrière ses oreilles. Elle était vraiment très belle.

Une minute. Est-ce qu'elle essaie d'être belle ? Pour moi ?

Son estomac se noua.

Et si jamais c'était devenu un rendez-vous sans que je le sache ? Est-ce qu'elle juge mes compétences en rendez-vous ? Je ne me suis pas préparé pour ça ! Je n'ai pas de plan de match ! Je ne peux pas être jugé quand ce n'est même pas un rendez-vous ! Et ça n'en est pas un. C'est vraiment…

— Pas un rendez-vous ! lança-t-il à travers son hamburger.

Il grimaça lorsqu'il se rendit compte qu'il avait dit ça à voix haute.

— Justin ?

Riley le regardait en fronçant les sourcils.

— Es-tu en train de t'étouffer ?

— Moi ?

Justin avala sa bouchée avec difficulté.

— Non ! Tout est cool. Très cool. Totalement, absolument, vraiment...

Il sentit ses joues rougir alors qu'elle haussait les sourcils. Il déposa son hamburger.

— Euh... c'est cool qu'on puisse se tenir ensemble comme ça, comme des amis... pas vrai ? ajouta-t-il.

Riley retira la main de ses cheveux et baissa le regard.

— Mmh, je suppose. Si c'est ce que tu penses.

Justin savait que si cette conversation avait été un ballon de football, il l'aurait porté droit dans un mur de défense, et là, il allait devoir utiliser tout son talent pour trouver une autre manière de franchir la ligne. Il devait trouver un autre sujet de conversation.

— Regarde Daniel et Debi ! dit-il en les pointant à l'autre bout du restaurant. Ils ne font que se tenir ensemble, tout comme toi et moi…

Quoique… Justin plissa les yeux en regardant son jumeau, qui portait ses vêtements noirs débraillés habituels, assis face à Debi, l'amie de Riley. Avec son style sombre de musicien rock, Daniel semblait être l'opposé total de Debi, la meneuse de claque enthousiaste, mais ils ne faisaient pas que partager un repas ; ils étaient allés voir le nouveau film de Jackson Caulfield, *The Groves,* un peu plus tôt.

Je viens de foncer tout droit dans les unités spéciales, se dit-il. *Ces deux-là sont assurément en plein rendez-vous, ce qui veut dire que Riley doit penser que nous le sommes aussi !*

— Euh, Justin ?

La voix de Riley le sortit de sa panique.

— Tu sembles un peu nerveux.

— Moi ? Nerveux ? Jamais de la vie !

Justin saisit ce qui restait de son hamburger et en prit une énorme bouchée.

— Je ne suis jamais nerveux, dit-il la bouche pleine.

Puis, il regarda son assiette vide et faillit s'étouffer à nouveau.

— Oh, dit Riley. Je croyais que c'était la nervosité qui te faisait avaler ta bouffe comme un loup affamé.

Loup !

Si seulement c'était ça, se dit Justin en soupirant. Ça rendrait ma vie tellement plus facile.

En tant que seul non-loup-garou à la ligne d'attaque de l'équipe de football de l'école secondaire Pine Wood, il devait faire tout son possible pour muscler son corps d'humain ordinaire et se rendre plus fort. Cependant, il ne pouvait pas expliquer tout ça à Riley. Ce serait exactement le contraire de garder le secret de l'existence des loups-garous, secret que *personne* ne devait découvrir. La seule raison pour laquelle Justin était au courant était que son père était un loup-garou et que jusqu'à un mois auparavant, il avait pensé qu'il allait en devenir un aussi.

Mais le « gène lupin » de la famille avait sauté Justin et avait plutôt touché son jumeau.

— J'essaie juste de prendre un max de calories, marmonna-t-il. Pour le match du *Homecoming* la semaine prochaine.

Heureusement, le fait de mentionner le *Homecoming* avait été assez pour déclencher le célèbre « mode organisation » de Riley. Elle se rassit d'un seul coup, les yeux brillant d'excitation.

— Je ne peux pas croire qu'il ne reste qu'une semaine ! Il reste tant à faire ! J'ai fait des tonnes et des tonnes de plans, mais…

— Toi ? Des plans ? *Jamais de la vie.*

Justin secoua la tête en souriant.

— Tu sais que les devoirs vont être débiles, cette année. Pourquoi tu ne prendrais pas ça mollo ? Tu pourrais prendre une année de congé de ton poste d'organisatrice principale de Pine Wood.

Riley se contenta de le regarder, puis les deux éclatèrent de rire.

Rendez-vous ou non, Justin connaissait Riley depuis la maternelle, et il savait que le jour où elle cesserait d'organiser *tout* sur son passage serait le jour où chacun des gros loups-garous coriaces de l'équipe de football demanderait des sandwichs à la laitue et aux concombres comme repas d'avant match.